'SNA'M LLONYDD I' GAL! 2

S'NA'M LLONYDD I' GA'L! 2

Margiad Roberts

Argraffiad cyntaf: Tachwedd 2002

(h) *Margiad Roberts*

Dymuna'r awdur gydnabod derbyn ysgoloriaeth gan
Gyngor Celfyddydau Cymru i ysgrifennu'r llyfr hwn.

Dymuna'r cyhoeddwyr gydnabod cymorth
Adran Olygyddol Cyngor Llyfrau Cymru.

Rhif Llyfr Safonol Rhyngwladol: 0-86381-796-3

Cynllun clawr: Siôn Morris

Argraffwyd a chyhoeddwyd gan Wasg Carreg Gwalch,
12 Iard yr Orsaf, Llanrwst, Dyffryn Conwy, LL26 0EH.
℡ 01492 642031
🖷 01492 641502
✆ llyfrau@carreg-gwalch.co.uk
lle ar y we: www.carreg-gwalch.co.uk

i
Robat
Tomos, Elin, Dafydd a Mared
Berthaur

Cynnwys

Chwara Cardia

Doedd Ifor ddim isio compiwtar. Roedd ganddo un yn 'i ben yn barod a hwnnw wedi bod yno erioed cyn bod sôn am fiwrocratiaeth.

"Dim byd ond traffa'th a chosta! Fel tasa gin rywun ddim digon i neud fel ma'i!" ffrwydodd Ifor gan sgrialu i'r tŷ yn 'i welintons.

"Gwatsia'r bwcad!" sgrechiodd Marian.

Ond er iddo osgoi'r bwcad welodd o mo'r smotia gwyrdd o Fairy Liquid oedd ar deils y gegin a llithrodd 'i goesa i bob cyfeiriad fel cyw iâr ar orcloth cyn iddo ddrybowndian yn erbyn y palis a hongian ar fwrdd y teliffôn lle cafodd drefn ar 'i draed, cythru i'r ffôn a dechra'i phrocio'n flin hefo'i fys.

"Pwy ti'n ffonio rwan 'to?" gofynnodd Marian.

"Ministri!"

"Eto? Pam be sy?"

"Bustach wedi colli'i dag a mae o'n barod i' werthu ond chai'm 'i werthu fo 'sna sgynno fo dag yn 'i glust," chwyrnodd Ifor.

"O, un o'r hen dagia mawr melyn 'na 'ti'n feddwl!" wfftiodd Marian.

"Naci, y tag haearn!" colbiodd Ifor fotyma'r ffôn yn wyllt. Tagia haearn, tagia plastig, CIDs, pasports, cardia coch, cardia gwyrdd, cardia glas… Roedda nhw yr un mor ddiarth i Marian ag oedd chwarae bridge. Ond doedd gan Ifor ddim dewis ond dysgu'r rheola'n sydyn a chwara'r gêm os oedd o am ddal ati i ffarmio a doedd hynny ddim yn hawdd achos fel roedd rhywun ar fin dod i ddallt y rheola roedda nhw'n newid bob gafa'l !

"Helo Ifor Huws Corsydd Mawr sy 'ma a ma' gin i fustach wedi colli'i dag. Mae o'n barod i' werthu a mae o'n tynnu at ddeg mis ar hugian. Be dwi'n fod i neud?... Bysus Nefyn?! Damia! Rong nymbyr."

Ddaru Marian ddim byd ond ysgwyd 'i phen mewn anobaith. Doedd dim rhyfadd fod bil ffôn Corsydd Mawr yn ei synnu bob chwartar. Roedd hannar y bil yn gosta ffonio'r Ministri a'r hannar arall yn gosta trio ffonio'r Ministri! Ond dim bysadd ffonio oedd gan Ifor ond bysadd ffarmio ac roedd rheiny'n rhy fras a chalad i fotyma bach tyner y ffôn.

"Ministri!" gwaeddodd Ifor a hwnnw'n fwy o fygythiad nag o gwestiwn.

"Welcome to the Welsh Assembly for Wales-"

"Peiriant ! 'Swn i 'di ca'l mwy o sens gin Bysus Nefyn!"

"-Ooeso i Gynulliad Cenedlaethol Cymru, swyddfa ranbarthol Caernarfon. If you would like to listen to this mess-"

"Gwestiwn gin i o's sgynnyn nhw rywun **byw** yn gweithio iddyn nhw o gwbwl!"

"-Ssgwch y rhif priodol ar gyfer eich galwad."

"'Sna'm sens yn hyn...!"

"-Dran Swyddfa Iechyd Anifeiliaid gwasgwch 1. Ymholiada â'r Adran IACS gwasgwch 2.

"Sefyllian yn fa'ma'n gwrando ar ryw blydi peiriant!"

"-Cwota gwasgwch 3."

"Ma' gin i waith i neud!"

"-Da Byw gwasgwch 4. Am unrhyw ad-"

"Pedwar! Helo?"

"Helo Livestock Department."

"Peiriant 'ta person?" gofynnodd Ifor yn amheus.

"Pa'dyn?"

"Ifor Huws Corsydd Mawr sy 'ma a ma' gin i fustach wedi colli'i dag haearn a mae o'n barod i' werthu a mae o'n tynnu at ddeg mis ar hugian a be dwi'n fod i neud?"

"Be ddudo chi oedd ych enw chi eto?"

"Ifor Huws Corsy-"

"O hold on a'i nôl rhywun i chi rwan."

"'Sa'i 'di bod yn rhatach i mi fynd yno bob cam!" arthiodd Ifor.

"Helo, Sylvia Jones,"

"Naci, Huws. Ifor Huws, Corsydd Maw-"

"Be ydi'ch holding nymbr chi, Mr Huws?"

"O. 53/35/13."

"A be fedra i neud i chi?"

"Ma' gin i fustach wedi colli 'i dag haearn a mae o'n barod i' werthu a mi fydd o'n ddeg mis ar hugian 'mhen pythefnos. Be dwi'n fod i neud?"

"Y... Daliwch am funud..."

"'Na fo. Ma' **honna** 'di diflannu rwan 'to...!"

"Sut yn union collodd o'i dag Mr Huws?"

"'Run ffor' ag y byddwch chitha'n colli'ch ear-rings ma'n siŵr!"

"Be?"

"**Be** ydw i'n fod i neud?! Dyna dwi ishio'i wbod!"

"Rhowch dag metel newydd yn ei chlust hi -"

"**Fo**. Bustach ydio!"

"Rhowch dag metel yn ei glust **o** 'ta, a gyrru'r hen ddociwments ata ni i fa'ma hefo'r tag nymbr newydd ar ddarn o bapur a wedyn mi 'nawn ni brosesu CID newydd i'r

11

bustach hefo'r nymbr newydd arno fo."

"Ia, ond pryd ga' i'r cardyn newydd yn ôl ? Ma'n rhaid i mi ga'l y **Cardyn** neu chai'm **gwerthu'r** bustach! A ma'n rhaid i mi werthu'r bustach cyn pen pythefnos neu mi fydd o'n cael 'i losgi am 'i fod o dros ddeg mis ar hugian!"

"Dim problem. Fydd o'n y post i chi 'mhen diwrnod neu ddau, tri ar y mwya. Iawn, Mr Huws?"

"Iawn. Os 'da chi'n deud."

Ond roedd hynny bron i bythefnos yn ôl, a hitha erbyn hyn yn ddydd Gwenar, a 'run cardyn wedi cyrradd er fod y bustach yn fod i fynd i'r Lladd-dy dydd Llun.

"Reit, dwi'n mynd yno bob cam i nôl y cardyn 'na rwan!" rhuodd Ifor cyn neidio i mewn i'r pic-yp a diflannu fel fflam goch i lawr y lôn gan ada'l pob pwll dŵr yn siglo'n fudur ar 'i ôl.

Pedwar deg milltir un ffordd. Wyth deg yno ac yn ôl. Dwy awr ar y ffordd a hynny i ddim byd ond i nôl Cardyn 'Nabod Bustach i brofi mai'r bustach hwnnw oedd o a 'run arall a'i fod o'n fengach na deng mis ar hugain. Ar ôl deng mis ar hugain roedd gwartheg yn dechra gwallgofi yn ôl gwyddonwyr y Llywodraeth. Ddwrnod yng nghynt roedda nhw'n berffaith ddiogel. Ond ddwrnod yn ddiweddarach fyddai gan Ifor ddim hawl i'w gwerthu dim ond eu gyrru i'w llosgi'n lludw a chael dim byd ond cardod amdanyn nhw.

Ond pam oedd gwartheg yn gwallgofi o gwbwl tybad...? Doedda nhw ddim yn gwallgofi ers talwm. Ac o bosib, tasa Ifor, a phob Ifor arall, wedi ca'l llonydd i ffarmio heb i ryw wyddonwyr a chwmnia fferyllol a chwmnia dwysfwyd sdwffio'u trwyna i'w busnesion fasa 'run fuwch 'rioed wedi gwallgofi. Ond sdwffio'u trwyna ddaru nhw. A'r cocyn hitio ar y pryd oedd pry bach o'r enw pry gweryd oedd yn gwyllltio cwmnia lledar am 'i fod o'n gneud tylla botyma yn y llefydd rong ar gefna gwartheg. A fuodd y gwyddonwyr ddim yn hir nad oedda nhw wedi cymysgu rhyw goctel gwenwynig i'w dywallt ar gefna gwartheg i ladd y pry gweryd (a'i gysgod) unwaith ac am byth!

Ond roedd eu gwenwyn yn rhy gry ac wrth ladd y pry gweryd fe wallgofo nhw wartheg a phobol hefyd, medda nhw. A dim ond ar ôl iddyn nhw sylweddoli be roedda nhw wedi'i neud y gwaharddo nhw'r gwenwyn dros nos a chwilio am rywun i gymryd y bai. A'r cocyn hitio wrth gwrs oedd y ffarmwr. A fo gafodd y bai am wallgofi gwartheg a phobol. Ac i oruchwylio'r gwallgofrwydd i gyd fe greodd y Llywodraeth ddiwydiant ffôn a phapur a chyfrifiadur ar gost y ffarmwr er mwyn i fiwrocratiaid ga'l swyddi.

Felly doedd dim gwahaniaeth yn y bôn os oedd y biwrocrat yn swyddfa'r Weinyddiaeth Amaeth wedi anghofio cadw at ei air ac anfon y Cardyn 'Nabod Bustach at Ifor fel yr addawodd. Anghofus oedd o mae'n siŵr, a phrun bynnag fyddai hynny'n effeithio dim ar ei gyflog ddiwadd y mis mwy na fyddai o'n effeithio ar gyflog y gwyddonydd a greodd y gwenwyn i ddechra arni, na'r cwmni fferyllol a'i gwerthodd o, na'r cwmni dwysfwyd a gynhyrchodd y dwysfwyd na'r Llywodraeth am orfodi Ifor trwy ddeddf gwlad i dywallt Organo Phosphorous ar gefna ei wartheg bob blwyddyn...

Gwasgodd Ifor y llyw nes roedd ei figyrna'n glaerwyn. Y fo oedd wedi codi gefn nos i dynnu'r llo ddwy flynadd a hannar yn ôl a fo oedd wedi ei warchod a'i amddiffyn o rhag pob anhwylder ac afiechyd. Y fo oedd wedi ei dagio, ei gofrestru, ei gyweirio, ei ddisbydio a'i ddoshio. Y fo oedd wedi trin y tir a hau i gael porfa dan ei draed, a fo oedd wedi hel porthiant iddo a'i gario dan ei drwyn am ddau aeaf, heb anghofio'r carthu a'r teilo. Ond a hitha rwan yn ddiwadd y daith ac yn amsar i Ifor werthu'r bustach a cha'l ei 'gyflog' amdano, roedd o'n gorfod gyrru'r filltir arall, ychwanegol honno – deugain un ffordd a bod yn fanwl gywir - a hynny o ganol ei waith ac i ddim pwrpas ond i nôl Cardyn 'Nabod Bustach i brofi mai ei fustach o oedd o a'i fod o'n 'fengach na deng mis ar hugain.

Roedd y traffig yn drwm a'r lôn yn sâl a'r sŵn yn y pic-yp yn fyddarol am fod y beipan ecsost wedi torri reit o dan ei sêt. Felly doedd o ddim haws a gwrando ar y radio na siarad hefo fo'i hun. Dyna pam y dechreuodd o hel meddylia a gofyn cwestiyna. Pam oedd treth y cyngor sir yn codi'n flynyddol a chyflwr y lonydd yn gwaethygu? Pam oedd y gwrychoedd i gyd yn bendrwm a gwaria fel byffalos ar bob ffos? Ond roedd hynny'n amlwg. Roedd pawb yn ca'l eu cyflogi i ista ar eu tina dan do heddiw a neb allan hefo cryman a chaib a rhaw. A'r eiliad honno siglodd i osgoi rhyw larbad gwirion ar gefn moped!

"Dwfnod neis, Mustyf Huws!" adleisiodd rhyw lais o'r gorffennol pell yn ei ben. Moped! Nac oedd, doedd o ddim wedi gweld un o'r rheiny ers blynyddoedd ers pan aeth Wmffras cynghorydd dros 'i ben o i gyflogi rhyw larbad gwirion o'r enw Malcym ar ryw gynllun hyfforddi'r ifanc, YTS neu rwbath, 'radag honno. A dyna be oedd gwastraff amsar os buo 'na 'rioed. Doedd o'n dda i ddim byd. Yr unig beth ddaru o o werth tra buodd o yno oedd gofalu am y plant am ryw bythefnos yn y gwanwyn tra roedd Marian yn helpu yn y sied ddefaid. Ond os oedd gan Malcym arbenigedd o gwbwl, siarad oedd hwnnw, siarad a mwydro a gofyn cwestiyna dwl a rhoi'r argraff 'i fod o'n dallt pob dim dan haul.

Edrychodd Ifor ar gloc y fan oedd yn dangos hannar awr wedi tri a gwasgodd y sbardun yn fflat rhwng ei welinton â'r llawr i gael cyrradd yn gynt.

Ia, hwnnw oedd y moped cynta a'r dwytha iddo 'i weld yng Nghorsydd Mawr 'rioed. Ond be oedd Malcym yn 'i neud erbyn hyn tybad...? Dim llawar, roedd hynny'n siŵr ac roedd hi'n anodd meddwl y basa unrhyw un ar y blaned wedi bod mor wirion â'i gyflogi o. Ond wedyn roedd 'na ddigonadd o swyddi ar gyfar pobol oedd yn gofyn cwestiyna y dyddia yma. Deud y gwir, roedd y Llywodraeth yn 'i gwaith yn creu swyddi gofyn cwestiyna i ddim pwrpas ond i ostwng cyfri'r di-waith a chodi pwysadd gwaed Ifor. Gollyngodd rech.

"Sawl buwch sgynno chi, Mr Huws? Sawl llo dan ddeunaw mis? Sawl llo fanw dan ddeunaw mis? Lle wertho chi'r llo gafodd buwch rhif iw ce dim dim saith, dau pedwar tri pump (UK 007 2435) yn 1997? Lle aeth nain y llo gwrw fenga oedd yn fab i'r tarw limousin brynso chi yn 1996? Lle ma' tag melyn y fuwch goch 'na?"

Tagia? A daeth Ifor yn ôl i'r presennol ac edrychodd ar y cloc oedd yn dangos chwartar i bedwar. Gwasgodd y sbardun yn fflat. Roedd o wedi treulio tri chwartar awr gyfa o'i fywyd ar y ffordd yn barod a phan gofiodd pam yr oedd o ar y ffordd o gwbwl dechreuodd ei waed ferwi unwaith eto. Gollyngodd rech. A deud y gwir roedd o wedi bod yn rhechan fel machine-gun ar hyd y daith. Ond roedd gollwng rhech yn help i lacio tyndra. Roedd Ifor wedi clywed yn ddiweddar fod athrawon yn ca'l eu gyrru ar gyrsia rheoli tyndra. Mi fasa rhechan yn rhatach, meddyliodd a gollyngodd un arall.

Stopiodd o flaen gola coch er mwyn i ryw ddynas hefo cylchoedd mawr yn 'i chlustia groesi'r ffordd a chofiodd am y tagia. Roedd pob tag mawr melyn yn costio pumpunt yr un i Ifor a phob un yn fawr ac yn felyn er mwyn i'r dynion o'r Ministri fedru darllan y rhifa o bell er nad oedd y rhan fwya ohonyn nhw'n gwbod y gwahaniath rhwng buwch a hwch. Ond y gwir amdani oedd nad oedda nhw byth yn mentro'n ddigon agos i ddarllan y tagia, dim ond gwrando o hirbell ar Ifor a phob ffarmwr arall yn darllan y rhifa iddyn nhw. A lle oedd y bobol rheiny oedd mor daer am warchod lles anifeiliaid nad oedda nhw'n cwyno fod pob llo bach yn gorfod cario un tag haearn a dau dag melyn mawr fel dwy gloch, un ym mhob clust? Dechreuodd Ifor gynddeiriogi unwaith eto a dechreuodd rechan yn afreolus wrth feddwl am yr holl waith a adawodd ar 'i hannar adra.

Roedd ei droed yn fflat ar lawr y fan. Ond pwyllodd pan welodd arwydd tri deg milltir yr awr. Roedd y siwrna yma'n mynd i gostio digon iddo fo mewn disl fel ag yr oedd hi, heb sôn am orfod talu dirwy hefyd! Arafodd.

Ond siawns na fyddai o'n hir iawn eto...

Roedd hi'n tynnu am bedwar pan drodd Ifor ar 'i ben i faes parcio'r Cyngor Sir heb gymryd math o sylw o'r arwydd oedd yn deud: NEILLTIR MANNAU PARCIO I WEITHWYR Y CYNGOR SIR A'R CYNULLIAD YN UNIG. Dim diawl o beryg, meddyliodd Ifor ag ynta'n talu'r dreth i un, a'r llall yn helpu'i hun i'w gymorthdal o. A phrun bynnag lle oedd disgwl i ddyn barcio? Roedd dwy linell felan dew fel letrig ffens o amgylch y ddau adeilad; y ddau adeilad mwya yn y dre a'r ddau yn cyflogi pobol i ddim byd ond i ddifa coed a lladd yr osôn.

Brasgamodd Ifor at adeilad y Weinyddiaeth gan ada'l y Traffig Warden i hofran fel cigfran y tu allan yn barod i ymosod ar ei sglyfath o ffarmwr diniwad a feiddiai barcio ar y ddwy linell felan dew. Gwthiodd y drws ond doedd o ddim yn agor. A dim ond ar ôl darllan y nodyn ar y ffenast y sylweddolodd fod y brif fynedfa wedi symud i dalcan arall yr adeilad.

Cerddodd Ifor yn ei hyll, reit rownd yr adeilad nes daeth at ddrws newydd sbon ac fel yr oedd ar fin ei wthio fe agorodd y drws o'i flaen a baglodd i mewn i stafall hollol ddiarth lle roedd pob dim yn ddrewllyd o newydd. Roedd yno garped o wal i wal a chadeiria ffasiynol, a phlanhigion plastig gwyrdd ym mhob congol. Dyma rai da i rannu cymorthdaliada i ffarmwrs meddyliodd Ifor a hwytha'u hunain ddim hyd yn oed yn gallu tyfu planhigion go-iawn mewn potia! Yn y gongol bella gwelodd gowntar uchel, amddiffynol ei bwrpas fel cowntar Happy Chop Suey House yn Dre ac aeth ato. Ond doedd neb i'w weld na'i glywed yno dim ond cyfrifiadur yn canu grwndi.

"Hoi! Siop!" gwaeddodd Ifor a tharo'i ddwrn ar y cowntar nes llithrodd pentwr o bamffledi ar lawr.

Ond ddaeth neb i'r golwg.

"Hoi! Chdi! Ti'n gweithio yma 'ta be?' galwodd Ifor ar ryw lefnyn oedd yn pwyso ar ffrâm drws yn ymyl â'i ddwylo'n 'i bocedi.

"Dim fi sy ar risepsiyn heddiw," atebodd.

"Wel, ffendia rywun sy 'ta!" chwyrnodd Ifor.

Ac ar ôl gada'l i'r ffrâm 'i chynnal 'i hun diflannodd yr hogyn linc di lonc i ganol sŵn chwerthin a chadw reiat yr ochor arall i'r drysa swingio.

"Ia?" gofynnodd yr hogan ddaeth allan trwy'r drysa gan chwythu bybl gym pinc.

"Ffonis i ryw hannar awr yn ôl ynglŷn â Chardyn Bustach. Ffonis i wsos dwytha hefyd 'ran hynny, a dw i 'di ffonio wsos yma o'r blaen ac mi ddudo nhw wrtha i y basa nhw'n 'i roi o'n y post i mi, bob tro. Ond ddaru nhw ddim achos dwi byth wedi ga'l o. Ma'n rhaid i'r bustach gyrradd y lladd-dy dydd

Llun neu mi geith 'i gondemnio a'i losgi! Dyna pam dwi 'di dŵad yma i'w nôl o **rwan**. A ma'n rhaid i mi 'i ga'l o **heddiw**! A dwi'm yn symud o'ma nes ca' i o i fynd adra hefo fi!"

"Be'r bustach?"

"Naci'r Cardyn!"

"O. Fedri di bicio'n ôl dydd Llun 'ta achos 'da ni newydd switshio'r compiwtars i gyd off 'li."

"Switshio'r compiwtars i gyd off?! Ond dim ond chwartar wedi **pedwar** ydi hi a dydi'm yn twllu tan **wyth**!" meddai Ifor mewn anghrediniaeth.

"Sori 'de. Ond 'da ni'n switshio bob dim off am bedwar a 'da ni'n clocio off am haff ffôr ar dydd Gwenar."

"Ond ma'n **rhaid** i mi ga'l y Cardyn heddiw! **Rwan**! Neu chai'm gwerthu'r bustach!" cododd Ifor ei lais.

"'Mishio mynd i ben caitsh 'nagoes! Fydd o'n barod i chdi **dydd Llun** o ce? No wyris."

"Ond fydd hi'n rhy **hwyr** dydd Llun! 'Dwi 'di ffonio ers **pythefnos**! A dwi'm yn **symud o'ma** nes bydda'i 'di **ga'l** o!" meddai Ifor ar 'i ben a dyrnodd y cowntar nes llyncodd yr hogan ei bybl gym yn gyfa cyn diflannu i nôl rhywun arall.

"Be ydi'r broblam?" gofynnodd yr hogyn.

"Hefo chdi fuos i'n siarad ar ffôn?" gofynnodd Ifor.

Ond doedd dim byd ond dryswch ar wynab yr hogyn oherwydd doedd o ddim yn gwbod pwy oedd Ifor na be oedd o isio.

"Ifor Huws Corsydd Mawr rhif daliad 53/35/13. Ffonis i tua awr yn ôl i ddeud mod i'n dŵad yma i nôl Cardyn Bustach! Ydio'n barod 'ta be?"

"O, dim fi oedd o," gwadodd yr hogyn.

"Yli, washi! Ti neu rywun yn fa'ma wedi gaddo postio Cardyn Bustach ata fi ers dros wsos. Rwan, lle mae o?!" rhuthrodd Ifor i'w wddw.

"Mustyf Huws...?! O'ni'n meddwl mai chi oedd o," meddai rhyw lais o'r tu ôl iddo.

"Mustyf Huws...?" sgrechiodd clycha tân aflafar ym mhenglog Ifor. "Naci 'rioed... Doedd y peth ddim yn bosib! Dim... dim...!"

A gollyngodd Ifor ei afa'l yng ngwddw'r hogyn oedd o'i flaen.

"'Da chi'm yn cofio fi? Malcym?" gofynnodd y polyn lein llwyd o'r tu ôl iddo.

Saethodd ias i lawr cefn Ifor a rhewodd y blew mân ar 'i wegil.

"Sut yda chi, Mustyf Huws?" gofynnodd.

"Yli, sgin i'm amsar i wastio, dwi ar frys," meddai Ifor yn syfrdan a blin. "Ma' gin i fustach fydd yn thirty months dydd Llun ac ma'n rhaid i mi ga'l ei Gardyn CID o rwan neu mi daflan o i ryw sgip a'i losgi. Dwi 'di ffonio yma 'geinia o weithia'n barod ond ddaru neb roi'r Cardyn yn y post. A rwan ar ôl i mi yrru **deugian milltir** yma i'w nôl o, ma' nhw'n deud na cha' i mono fo, fod y compiwtars wedi cau!"

"Peidiwch â poeni, Mustyf Huws. Gadwch o i fi."

A diflannodd Malcym trwy'r drws.

Disgynnodd Ifor yn glewt ar gadair feddal a diflannodd y gwynt ohoni'n ara deg. Teimlai'n wan ac yn sâl ac yn llawn anobaith. Roedd hi ar ben arno i ga'l gwerthu'r bustach rwan, ar ben go iawn. Oni bai, wrth gwrs, y byddai Malcym yn y munuda nesa'n cerddad i mewn trwy'r drws hefo'r Cardyn yn ei law! Ond doedd dim gobaith o hynny. Dim os mai'r un un Malcym oedd hwn. Yr un un Malcym a glywodd o'n deud 'geinia o weithia yng Nghorsydd Mawr ers talwm: "Peidiwch a poeni Mustyf Huws!" a'r geiria'n rhybudd pendant bob tro, fod petha'n mynd i waethygu'n gyflym. Erbyn meddwl, ddaru Malcym ddim byd 'rioed ond gwaethygu pob problam i Ifor. Ond y funud honno roedd Ifor yn dal ei afa'l yn dynn ac yn gobeithio, yn gobeithio'n daer y byddai Malcym, am unwaith yn ei fywyd, yn gallu ei helpu.

A thoc ar ôl clywed sŵn camdreuliad yn dod o fol rhyw gyfrifiadur dychwelodd Malcym hefo'r Cardyn yn ei law.

"Dyna chi, Mistyf Huws. CID iw ce dim dim naw dau, dim dim dim pedwaf (UK0092 0004)."

"Ti'n siŵr? Ydi'r nymbr yn iawn gin ti?" gofynnodd Ifor yn amheus cyn cipio'r Cardyn o'i ddwylo.

"O, ydi 'chi, Mistyf Huws," meddai Malcym yn saff o'i betha. "Iw ce dim dim naw dau, dim dim dim pedwaf (UK0092 0004) oedd af y papuf yfsoch chi hefo fo."

Doedd Ifor ddim yn siŵr iawn be i ddeud. Roedd o mewn stâd o sioc.

"Dow, diolch yn fawr i chdi Malcym. Diolch yn fawr iawn!" meddai Ifor mewn anghrediniaeth wrth ddal i syllu ar y Cardyn yn 'i ddwylo.

Oedd, chwara teg iddo, am unwaith roedd o wedi llwyddo i neud rwbath yn iawn. A siriolodd Ifor. Roedd hi'n amlwg fod y cyfnod byr a dreuliodd o yng Nghorsydd Mawr wedi dysgu rwbath iddo wedi'r cwbwl, petai'n ddim ond ei ddysgu i symud yn sydyn a helpu mewn argyfwng.

"Cofiwch unfhyw bfyd fyddwch chi isio help Mustyf Huws 'mond gofyn amdana fi 'de," sythodd Malcym.

"O, mi 'na i! Siŵr o neud, Malcym! Diolch i chdi! O'n i wedi anobeithio'n llwyr a deud y gwir ac o'n i'n meddwl 'i bod hi ar ben arna fi i ga'l gwerthu'r bustach cyn y basa fo'n ddeg mis ar hugian. Ond diolch i chdi, mi ga' i ffonio i drefnu lori i fynd â fo ben bora dydd Llun rwan," gwenodd Ifor.

"O, feit dda!" gwenodd Malcym.

"Ia, diolch yn fowr iawn i chdi, Malcym! Diolch yn fawr

iawn!"

"O, Mustyf Huws! Cofiwch am ych paspoft 'de!" galwodd Malcym arno gan redag ar 'i ôl.

"Pasport?! Argol fawr, fuodd gin i 'rioed-!" gwadodd Ifor.

"Naci hwn, paspoft y bustach," meddai Malcym.

"O, ia, yrris i o yma hefo'r CID yn do."

"Do," meddai Malcym gan roi'r pasport yn ddiogel yn llaw Ifor. "Fwan, cofiwch ei yfu fo i Cumbfia 'de, Mustyf Huws."

"Cumbria?!!"

"Ia, fydd ishio fhoid fhif y tag newydd af y paspoft bydd."

"Be?!"

"O, o'dda chi'm yn gwbod, Mustyf Huws...?"

"Gwbod be?"

"Ma'n fhaid i chi ga'l Cardyn CID **a** paspoft fwan cyn cewch chi wefthu bustach."

"Be? Ond...!"

Fferodd Ifor, a'i glustia'n llawn sŵn clecian mân fel radio'n chwilio'n wyllt am sdeshion, wrth iddo sylweddoli na châi o werthu'r bustach wedi'r cwbwl...

"Fheola a fheoliada 'de, Mistyf Huws! A ma'f fheola wedi newid eto! Eniwe, falch bo fi wedi gallu helpu chi a cofiwch unfhyw bfyd y byddwch chi isio cyngof 'da chi'n gwbod lle ydw i!" meddai Malcym cyn pwyntio ei oriad at y 4x4 wen, to meddal, wrth ymyl fan Ifor a neidio i mewn iddi.

"Hwyl, Mistyf Huws! Gofod mynd. Swpaf af y bwfdd!"

"Cymbria...?!" gwichiodd Ifor a drws y fan, cyn iddo ddisgyn i'w sêt. Llwyddodd i gau'r drws ar ei drydedd ymdrach a thanio'r fan ar ei chwechad cyn taro rhech a gyrru am adra i drio ailafa'l yn 'i waith cyn iddi dwllu.

Darllan Tagia

Fuodd Ifor ddim wastad yn siarad hefo fo'i hun. Mi fuodd 'na amsar pan oedd o'n gallu fforddio cyflogi rhywun i siarad hefo fo. Ond roedd hynny cyn i'w gosta ddyblu, gwerth ei gynnyrch haneru a biwrocratiaeth ddatblygu'n ddiwydiant pwysicach na chynhyrchu bwyd.

"Ma'i 'di mynd i'r diawl! Gorfod difa bustach hollol iach a thalu hannar canpunt i lori fynd ag o ar draws gwlad i Wrecsam i'w losgi! A hynny dim ond am 'i fod o wedi colli'i dag. 'Sna'm sens yn y peth. Dim!" mylliodd Ifor wrtho'i hun pan ganodd y ffôn.

"Helo, Mistyf Huws, Malcym sy' ma," meddai'n llawen.

"Ia...?" gofynnodd Ifor yn ddiemosiwn.

"Malcym o'f Ministfi."

"Ia...?" Ond roedd Ifor wedi nabod y llais ymhell cyn i Malcym gyflwyno'i hun yn ei enw biwrocrataidd.

"Be fedra i neud i chdi **Malcym**?" ymdrechodd Ifor i fod yn glên.

"Enw chi newydd ga'l 'i daflu allan o'f compiwtaf bofa 'ma, Mistyf Huws," cyhoeddodd yn llawen.

"O, a dwi wedi ennill y bonys bôl, ma'n siŵr!" chwarddodd Ifor trwy'i ddannadd.

"Bonys bôl? Y... naddo 'chi, Mistyf Huws. Ffonio chi i ddeud bo fi'n dŵad ata chi fofy i tshecio tagia bustych a

22

gweld os ydi llyfa chi yp-tw-dêt, ydw i," meddai'n ffurfiol, bwysig.

"'Sgin i'm amsar fory," meddai Ifor gan roi pin yn ei swigan yn syth.

"O… feit, fhoswch i fi edfach yn dyfiaduf fi fwan 'ta. Ma' deg o gloch dydd Gwenaf yn fhydd gin i."

"Wel, 'dydio ddim gin i…," meddyliodd Ifor. Ond be oedd o haws â thynnu'n groes. Roedd pob dwrnod yn mynd i fod yn anghyfleus o ran hynny. Doedd ganddo ddim digon o oria'n y dydd i neud ei waith 'i hun heb sôn am ffendio amsar i weithio i fiwrocratiaid hefyd.

"Iawn 'ta, deg o gloch dydd Gwenar amdani," meddai Ifor. "A phaid ag anghofio dy welintons."

"O 'na i ddim, Mistyf Huws. Dwi'n meddwl bod tfaed fi bfaidd yn fawf i ffitio fhai Musus Huws fŵan tydyn," chwarddodd yn wirion.

Mi fydd traed Musus Huws i mewn yn ei welintons, prun bynnag, meddai Ifor wrtho'i hun.

"Oci dô, Mistyf Huws. Welai chi dydd Gwenaf 'ta. Hwyl!"

"Dwi'n siŵr y bydd hi…!" meddai Ifor dan ei wynt.

Ond am bum munud i hannar nos ar y nos Iau, yng ngola llachar y strip lighting, roedd Ifor yn dal i lenwi ei lyfr mwfments a medisin ar fwrdd fformeica gwyn y gegin. A phan orffennodd roedd hi'n hannar awr wedi hannar nos ac roedd o'n ysu i ga'l mynd i'w wely. Ond chafodd o ddim. Roedd yn rhaid iddo fynd i daro golwg ar y buchod cyflo oedd yn Cae Cefn gynta, rhag ofn y byddai un wedi clwyfo. Agorodd y drws-allan a chamu'n hyderus ddall ar 'i ben i'r twllwch ac ar 'i ben-glin i giât y cowt!

Griddfanodd a damiodd wrth hencian i'r cae ond ar ôl i'w lygaid gynefino â'r twllwch dechreuodd gyfri'r buchod fesul un. Roedd un ar goll! Y fuwch Limousin ddu. A doedd buwch ddu yn y twllwch ddim y peth hawsa i'w gweld! Ond os nad oedd y fuwch hefo'r lleill roedd hi'n amlwg ar ben 'i hun yn rwla ac os oedd hi ar ben 'i hun gallai hynny olygu dau beth. Un ai roedd hi wedi marw neu roedd dolur llo arni. Cerddodd Ifor i bob cwr o'r cae cyn dod o hyd i'r fuwch o'r diwedd yn snwyro'r ddaear yn y gongol bella un. Hon oedd y fuwch wyllta yng Nghorsydd Mawr, os nad yn y byd i gyd, ond hi hefyd oedd yn magu'r llo gora ar y lle bob blwyddyn a dyna egluro pam yr oedd hi'n cael aros yno.

"......Os dalith hi tan bora....Ond wn i rwan, 'sna'm gobaith o hynny....." siaradodd Ifor hefo'i hun. "Damia! Ro i ddwy awr arall i chdi," meddai wrth y fuwch gan obeithio y byddai hi wedi dod â llo ei hun erbyn hynny ac y câi ynta sbario'i hel i mewn o gwbwl.

Cerddodd Ifor yn ôl i'r tŷ, rhoi'r cloc larwm ar dri a syrthio'n lledan ar ei wely. Ond doedd o prin wedi troi drosodd pan ganodd y cloc fel pnewmatic dril yn ei glust am dri o'r gloch y bora a baglodd wysg ei ochor wrth drio neidio i'w drowsus a tharo'i benelin yn erbyn y wardrob.

"Marian ty'd, co'd! Rhaid 'mi ga'l help i hel y fuwch i mewn," galwodd ar Marian a oedd mewn byd perffaith a chynnes o dan ddillad y gwely cyn iddi orfod deffro i realiti bywyd gwraig ffarm a chamu allan i'r oerni.

Cydiodd Ifor mewn ffon a Marian mewn fflachlamp a cherddodd y ddau i'r cae gan obeithio y byddai'r fuwch wedi dod â'r llo ar ben ei hun. Ond doedd hi ddim achos roedd ei draed o allan ac ar ôl i Ifor fynd yn ddigon agos sylwodd mai traed ôl oedda nhw.

"Traed ôl... Ia 'mwn!" chwyrnodd wrtho'i hun.

"Be?" gwaeddodd Marian.

"Paid a gweiddi!" gwaeddodd Ifor.

Ac ar hynny cododd y fuwch ei chlustia a'i chynffon a saethu ar draws y cae at y buchod er'ill.

Doedd dim amdani ond hel y cwbwl lot i mewn i'r sied. Ond haws deud na gneud. Agorodd Marian y giât ac aeth i sefyll i'r cae hefo'i fflachlamp i oleuo'r adwy. Ond fel yr oedd y buchod ar fin cyrradd pen ucha'r cae gwaniodd y gola'n ara deg nes diffodd yn llwyr. Roedd y batri 'di darfod! A safodd pawb yn llonydd yn y twllwch am eiliad neu ddwy. Yna, heb unrhyw rybudd o fath yn y byd, dechreuodd y buchod garlamu'n wyllt i lawr y cae. A phan glywodd Marian fuwch ddu ar gefndir du, yn carlamu tuag ati fe sgrechiodd.

"Paid a gweiddi!" gwylltiodd Ifor.

Ond doedd dim gwahaniaeth bellach achos roedd y fuwch ddu yn ôl yng ngwaelod y cae lle cychwynodd hi!

Hannar awr go dda yn ddiweddarach, ar ôl chwarae meri-go-rownd 'geinia o weithia'n y cae, nôl y cŵn ac yna'n y diwadd nôl y fan, fe lwyddodd Marian ac Ifor i ga'l y buchod i gyd i mewn i'r sied. Ac ar ôl dim ond cwta bum munud yn y sied, gollyngwyd pob un yn ôl allan i'r twllwch, bob un ond y fuwch ddu.

"Dyna chdi, dyna chdi..." cysurodd Ifor y fuwch wrth drio'i cha'l i mewn i'r crysh a honno'n ysgwyd ei phen yn gynddeiriog ac yn chwythu'n fygythiol trwy'i ffroena a'i cheg nes roedd glafoerion gwyn yn tasgu i bobman. Roedd Marian yr ochor arall i'r giât yn crefu'n ddistaw bach ar i'r fuwch fynd i mewn i'r crêt cyn iddi **ladd** rhywun. Ddaru hi 'i hun 'rioed gymaint o ffýs wrth eni ei phlant, diolch byth am hynny. Ond roedd hi'n amlwg nad oedd gwasanaeth yr NHS yn plesio'r fuwch a doedd hi ddim am fynd i mewn i'r crêt dros ei chrogi. Ond roedd crogi'n apelio'n fwy at Ifor bob eiliad...!

"Mae o'n rhy fawr! Ddaw o byth!" ochneidiodd Marian

o'r ochor arall i'r crêt ar ôl i Ifor lwyddo o'r diwedd i roi penffrwyn a modrwy yn nhrwyn y fuwch a'i chlymu i'r giât. Ac ar ôl rhoi ei law yn ei manag heibio'r carna melyn mawr a rheiny â'u blaena i lawr, cytunodd Ifor. Doedd o ddim haws ag andwyo'r fuwch na Marian na fo'i hun ac aeth y ddau yn ôl i'r tŷ, Marian i'w gwely ac Ifor i ffonio'r ffariar.

"Llo mawr a hwnnw'n groes," meddai Ifor ar y ffôn. "Wsos groes ydi hi wedi bod 'ran hynny…!" meddai wrtho'i hun cyn taro rhech a mynd i nôl bwcedad o ddŵr a llian a sebon yn barod i'r ffariar.

Ac ar ôl llonyddu'r fuwch hefo phigiada a thynnu llo mawr cymaint â Great Dane allan trwy flwch postio'n ei hochor, ffarweliodd y ffariar a gada'l y fuwch wyllt yng ngofal Ifor. Godrodd Ifor y fuwch tra roedd hi'n dal o dan effaith yr anaesthetig a rhoddodd botelad dda ohono ym mol y llo, tynnu'r penffrwyn a'r fodrwy o'i thrwyn a'i gleuo hi o'no. Ond dim ond ca'l a cha'l ddaru o i gau'r giât cyn i'r fuwch ymosod a mynd ar ei phen iddi!

Pan gyrhaeddodd Ifor ei wely o'r diwadd, roedd hi bron yn bump o'r gloch y bora. A phan fethodd â diffodd gola'r llofft ar y trydydd cynnig cofiodd mai ar otomatig y gweithiai'r haul ac nid ar maniwal.

"Sut mae o'n edrach 'ta?" oedd cwestiwn cynta Marian ben bora.

"Iawn. Ond dio'm 'di sugno," meddai Ifor oedd newydd fod yn y sied yn gweld y llo.

"Naci, Malcym dwi'n feddwl! Ydi o 'di newid? Fedrai'm meddwl sut mae o'n edrach ar ôl yr holl flynyddoedd!" gwichiodd Marian yn llawn cynnwrf.

"O, hwnnw!" meddai Ifor. "Run fath am wn i, ond 'i fod o 'chydig yn fwy, 'nenwedig o gwmpas 'i ben!"

"Ydi'r fodrwy na'n dal yn ei glust o...?" meddyliodd Marian yn chwilfrydig. "A dwi'n 'i gofio fo'n gwisgo'n welintons i fel 'tae hi'n ddoe ddwytha. Ti'n cofio?" gofynnodd Marian gan grychu ei thrwyn fel cwningan.

"Diawl dwl! 'Sa rywun call wedi 'morol dŵad â welintons hefo fo, i ddechra arni," meddai Ifor.

"Ma'n siŵr 'i fod o'n seis wyth neu ddeg bellach, tydi...."

"Os ydyn nhw wedi tyfu gymaint â'i ben o, ma' nhw'n nes at bymthag!" meddai Ifor gan ollwng rhech sydyn.

Ond sut un oedd Malcym erbyn hyn? Oedd o'n dalach yn dewach yn lletach? Rwbath digon nychlyd a llwglyd yr olwg oedd o cyn i Marian ddechra'i fwydo 'radag honno. Ond oedd o wedi llenwi ac wedi ca'l rhywfaint o liw i'w focha erbyn hyn tybad? Byddai'n rhaid iddi ddisgwyl nes câi ei weld o'n y cnawd.

"Pryd mae o'n dŵad?" gofynnodd ar bina fel tasa hi'n disgwyl i'r mab afradlon 'i hun ddŵad adra.

"Dim dŵad yma i neud **ffafr** â fi mae o ond dŵad yma i neud **traffath** i mi. 'Dio'n ddim byd ond trogan. Trogod ydyn nhw i gyd, bob un wan jac ohonyn nhw, 'ran hynny," mylliodd Ifor.

"Yli Ifor, dwyt ti'm haws â beio Malcym am y llanast Cardia 'na! Ddaru o ddim byd ond dy helpu di. Ddudis di dy hun. A'th o i draffath i neud y Cardyn i chdi ac mi ddudodd wrtha chdi am yrru'r pasport i Cumbria, chwara teg."

"Ia, ond doedd na'm pwynt nagoedd! O'dd hi'n rhy hwyr doedd!"

"Oedd. Ond **chdi** oedd ar fai a dim Malcym. Chdi oedd ddim wedi **dallt** y rheola, a waeth i ti heb a gweld bai arno fo. Dim ond gweithio yno mae o. Dim fo sy'n gneud y rheola, sdi."

"Dim ond yno i ga'l eu cyfloga ma' nhw i gyd...! 'Dio

ddiawl o bwys gynnyn nhw am fustach na iâr na mochyn heb sôn am ffarmwr... A ma' pawb yn grwgnach bod ffarmwrs yn ca'l eu sybsideishio... Y ni sy'n sybsideishio pawb arall, 'sa ti'n gofyn i fi..." collodd Ifor ei stêm yn flinedig.

Ond fel yr oedd ei lygaid plwm ar fin cau a'i ên ar fin disgyn ar ei frest ac ynta ar fin syrthio i drwmgwsg pwy landiodd ar y buarth mewn Golff glas newydd sbon ond Malcym.

"Pnawn da, Musus Huws! Dwi'm 'di gweld chi efs blynyddoedd, nadw!" a'i llgada'n bob man fel dyn prynu antîcs.

Ond roedd llgada Marian yn bob man hefyd.

"Naddo wir, Malcym. Ma'n siŵr bod 'na ddeg i ddeuddag mlynadd bellach, does...?"

"Un deg tfi, Musus Huws! A 'da chi 'di newid dim, os ceith fi ddeud!" meddai Malcym.

"Oh!" cydiodd Marian mewn cyrlan ym môn ei chlust a'i throi am ei bys yn swil cyn i Malcym ychwanegu:

"Achos 'da chi'n dal i foid dillad af lein a byth 'di ca'l tymbl dfeiaf!" chwarddodd yn wirion.

A gwenodd Marian yn ddryslyd. Na, doedd Malcym wedi newid dim chwaith. Roedd o mor ddi ddallt ag erioed.

"Ddfwg gynny fi bo fi dipyn bach yn hwyf, Mistyf Huws. Ond o'dd fwbath 'di digwydd i'f peifiant coffi a wedyn a'th bfec bofa pawb yn hwyf," rhaffodd Malcym esgusion lu wrth loncian ar ôl Ifor at y gorlan.

"Ti 'di ca'l car newydd? Be ddigwyddodd i'r peth mowr gwyn to meddal 'nw o'dd gin ti?" gofynnodd Ifor wrth frasgamu heibio'r Golff.

O, caf gwaith ydi hwn," meddai Malcym yn ei welintons gwyrdd a'i body warmer ac Adran Amaethyddiaeth y Cynulliad Cymreig wedi ei frodio mewn aur ar ei frest.

"Be tisio weld 'ta?" gofynnodd Ifor.

A stopiodd Malcym i ga'l ei wynt ato.

"Tagia pob bustach 'da chi 'di gneud clêm am sybsidi afnyn nhw 'de Mustyf Huws a tagia buchod sgin loua bach. A fydda i isio gweld llyfa. Llyfa mwfments a medisin chi hefyd a.... a, dyna ni wedyn, dwi'n meddwl," edrychodd Malcym i fyny i'r awyr gan gau un llygad yn ddoeth.

Roedd Ifor wedi hel y bustych i'r gorlan yn barod ac ar ôl i Marian neidio i mewn i'w welintons a'i chôt law aeth hitha ar ei hunion i'w helpu i lenwi'r côr. Ond lle roedd Malcym? Doedd dim golwg ohono'n unlla.

"Ti'n barod?" galwodd Ifor.

"O, ydw… iawn… bafod, Mistyf Huws… 'mond ystyn menyg fi o'f caf," meddai Malcym a thrawodd ei ben yn ffrâm y drws wrth fagio allan.

A thra roedd Ifor yn reslo hefo clustia aflonydd y bustych ac yn trio darllan y rhifa mân ar y tag haearn yng nghanol blew a charthion roedd Malcym yn sefyll hefo'i glipbord gryn dair llath oddi wrtho. A deud y gwir roedd y gêm yn debyg iawn i Bingo. Roedd Ifor yn darllan rhif tag clust y bustach a Malcym yn chwilio am y rhif hwnnw ar y clipbord o dan ei drwyn ac yn rhoi tic fach lân wrth ei ymyl ar ôl cael hyd iddo.

"Iw ce, dim dim naw dau, dim dim un pedwar wyth (UK0092 00148)," gwaeddodd Ifor yn ei ddillad oel o ben wal y côr.

"Iawn, Mistyf Huws!" gwaeddodd Malcym a rhoi tic fach dwt ar ei glipbord.

"Iw ce dim dim naw dau, dau dim un tri wyth (UK0092 00138)," gwaeddodd Ifor.

"Hym," pesychodd Malcym yn awdurdodol. "Wchi'f **dau dim** 'na fwan 'de, Mistyf Huws. Be oedd o? Fhif **dau a dim byd** af 'i ôl o, 'ta **dau ddim byd** af ôl 'i gilydd?"

29

Ac ar ôl ochenaid hir, reslodd Ifor hefo pen y bustach unwaith eto ac ailddarllan y tag ac ailadrodd y rhif i Malcym.

"Iw ce dim dim naw dau, **dim dim** un tri wyth."

"**Dau ddim** byd af ôl 'i gilydd: **Dim, dim** ia, Mistyf Huws?"

"Ia!" gwaeddodd Ifor.

"I'f **dim**," meddai Malcym a chwerthin ar ben ei jôc ei hun: "I'f dim! Ha-ha!"

"A'm helpo...!" bytheiriodd Ifor dan ei wynt.

Roedd hi'n amlwg fod Malcym yn mwynhau pob eiliad ac yn mynd i ymestyn y job i bar'a bora cyfa!

"Iawn, Mistyf Huws, a'f nesa fwan 'ta?"

"Iw ce dim dim naw dau, dim dim un pedwar dau (UK0092 00142)!"

"Iawn. A'f nesa?"

A thra roedd Marian yn agor y giât i'r tri bustach cynta i fynd allan roedd Ifor wrthi'n hel tri arall i mewn i'r côr.

Dechreuodd Marian siglo o un goes i'r llall. Roedd hi'n oer. A waeth ble y safai ai'r gwynt drwyddi fel rasal 'run fath yn union. Doedd Ifor ddim yn oer oherwydd roedd o'n gwisgo'i ddillad oel a fo oedd yr unig un oedd yn symud ac yn gneud rwbath egnïol.

"Iw ce dim dim naw dau, dim dim tri dau un (UK0092 00321)," gwaeddodd Ifor.

"Iawn. Nesa?" gofynnodd Malcym yn bwysig.

Agorodd Marian ei cheg yn flinedig.

"Y giât, Musus Huws!" gwaeddodd Malcym.

Ond hawdd y medra fo weiddi, doedd o ddim wedi gorfod codi am dri o'r gloch y bora!

Aeth trwyn Marian yn gochach a gweddill ei hwynab yn wynnach a chryfhaodd y cysgodion duon o dan ei llygaid wrth i'r gwynt chwipio'n ddidrugaradd rownd talcan y sied. Hen betha oer oedd welintons. Roedd bysadd ei thraed wedi fferru a dechreuodd ddawnsio o un goes i'r llall a chwythu i'w dyrna bob yn ail â'u gwthio i eigion ei phocedi.

Syllodd Marian yn rhynllyd ac eiddigus ar Malcym yn ei body warmer a'i gôt ddringo, ei gap sgio a'i fenyg. Roedd o'n edrach yn glyd fel hamster a chanddo fo'r oedd y job rwydda a mwya cysurus ohonyn nhw i gyd. Roedd o'n gynnas a glân a'i ddillad o'n berffaith fel dyn mewn catlog dillad dynion.

"Nesa! Dowch! Feit handi fwan, Musus Huws!" gwaeddodd Malcym.

Ac agorodd Marian y giât ar unwaith cyn sefyll o'r neilltu i'r bustych gael mynd allan. Ond ble bynnag y safai roedd hi'n siŵr o ga'l cawod o bibo drosti wrth i'r bustych sgrialu allan drwy'r pwll dŵr budur oedd yn union o flaen y giât. Sychodd ei hwyneb bara brith hefo llawas ei chôt ac roedd hi ar fin cau'r giât cyn i'r tri bustach nesa ddod i mewn i'r côr pan waeddodd Malcym:

"Bfysiwch! Caewch y giât!"

Doedd dim gwahaniaeth gan Marian gymryd ordyrs gan Ifor. Roedd hi wedi hen arfar â'r rheiny. Ond roedd gweld ei hun yn ufuddhau i bob cyfarthiad gan ryw lefnyn fel Malcym yn ei chorddi a'i chythruddo'n lân. Wedi'r cwbwl dim lle Ifor a hi oedd darllan y tagia. Job Malcym oedd honno i fod a dim ond yno i helpu Ifor oedd hi.

"Y ddau fustach Welsh Black 'na fwan, Mustyf Huws!"

"Limousin... y lembo...!" meddai Ifor dan ei wynt gan ysgwyd 'i ben.

Doedd Ifor ddim wedi bwriadu i'r ddau fustach yma fod ar ôl hefo'i gilydd ond dyna'n union ddigwyddodd. Roedda nhw wedi gwrthod y giât bob tro ac roedd hi'n amhosib eu ca'l nhw i weld unrhyw agoriad yn unlla rwan. Ond fel yr oedd Ifor ar fin rhoi un cynnig arall arni daeth Malcym i ddangos ei wep a gweiddi "Shw!" ac aeth y ddau fustach yn

31

saith gwylltach. Dechreuodd y gwyllta o'r ddau, oedd wedi colli 'i dag melyn mawr, grafangio dros wal y gorlan cyn llithro'n ôl i lawr a dechra chwythu'n fygythiol ar Ifor wrth iddo chwilio'n orffwyll am ddihangfa arall.

"Iw ce dim dim naw dau, dim dim pump dim (UK0092 0050) ydi rhif nacw," meddai Ifor.

"A'f un gwyllt?" gofynnodd Malcym yn bwysig.

"Y rhif dwytha sgin ti ar dy bapur!" meddai Ifor yn flin.

"Ia, ond sut yda chi'n gwbod mai hwnnw ydio, Mistyf Huws?" gofynnodd Malcym.

"Achos dw i 'di darllan nymbyrs y lleill i chdi'n barod! A dim ond hwnna sy ar ôl!" ceisiodd Ifor ddal pen rheswm ag o heb golli'i limpin.

"Ia, ond fedfa i ddim fhoid tic wfth 'i ymyl o os nad yda chi wedi **dafllan** y fhif i fi," mynnodd Malcym.

"Wel, dacw fo'r bustach a ma'r tag haearn yn 'i glust o os ti am 'i ddarllan o. Ond dwi'm am beryglu mywyd a dwi'm isio gweld y bustach yn torri'i goes chwaith!" meddai Ifor cyn taro rhech.

Roedd Ifor yn gwbod be oedd anifail gwyllt. Roedd o newydd dreulio hannar y nos hefo'r fuwch ddu! Ond yn waeth na hynny doedd y llo byth wedi sugno a'r funud y câi Ifor gefn Malcym dyna fyddai ei orchwyl nesa. Rhoi llo'r fuwch ddu i sugno a pheryglu ei fywyd yr un pryd. Ond wedyn, roedd o'n gorfod peryglu ei fywyd rhyw ben bob dydd.

"Caewch y giât!!!" gwaeddodd Malcym fel melltan. "Ma'f bustach wedi mynd i mewn!"

Ond dim ond hannar blaen y bustach oedd yn y côr a phan drodd Ifor i gau'r giât cafodd gic ym mhellan ei ben-glin!

Atseiniodd y glec dros y buarth.

"Baaasdiff!" griddfanodd Ifor a rhedodd Marian ato.

"Baaaaaaa!" rowliodd mewn poen.

"Llithfo ddafu chi, Mistyf Huws…?" gofynnodd Malcym dros gil ei glipbord.

"Baaaaaa-!"

"Ti'n iawn Ifor?"

"Nadw! Agor y blydi giât iddyn nhw ga'l mynd allan!"

"Ond. Ond dwi'm 'di ca'l fhif y bustach eto…!" mynnodd Malcym.

"Cer ar 'i ôl o 'ta!" sgyrnygodd Ifor.

Swatiodd Malcym tu ôl i'w glipbord.

Roedd dannadd Marian yn dal i glecian a'i chorff yn dal i grynu er bod ei thraed ar yr Aga ers chwartar awr. Ond ar ôl ca'l 'i naddu'n sgerbwd gan y gwynt a'i bychanu gan orchmynion biwrocrataidd Malcym trwy'r bora roedd cydymdeimlad Marian erbyn hyn yn gyfan gwbwl, ddiamheuol hefo'i gŵr.

Olrheinedd, wir! Dyna oedd pwynt yr holl dagio clustia a chofnodi a tshecio medda nhw, er mwyn gallu olrhain y cig yn ôl i'r ffarm lle magwyd yr anifail ac i neud yn siŵr nad oedd 'run anifail dros dri deg mis yn mynd i'r gadwyn fwyd. Ond roedd hi'n talu pymthag punt yr wsos am ginio ysgol i'r genod a hynny am gig o dramor heb fath o dag clust na chofnod nac olrheinedd arno fo o gwbwl. A doedd affliw o ots os oedd o dros dri deg mis ai peidio. Felly, mewn difri, be oedd pwynt yr holl dagio a'r tshecio?

"Ceith fi olchi dwylo fi plîs, Musus Huws?" gofynnodd Malcym.

"Fan'cw…," meddai Marian gan edrych arno'n tynnu ei fenyg yn ofalus.

Ond i be oedd o isio golchi 'i ddwylo ac ynta wedi bod yn gwisgo menyg?!

Yna gafaelodd Malcym yn ofalus yn nhudalenna'r llyfr mwfments a medisin a oedd ar y bwrdd o'i flaen a dechra holi cwestiyna achyddol, dwl. A dechreuodd Ifor atab ora gallai, er bod llais Malcym weithia'n pellhau ac weithia'n agosau wrth i'r boen fynd a dod yn ei ben-glin oedd wedi chwyddo fel ffwtbol.

"Lle nath chi wefthu bustach iw ce dim dim naw dau, dim tri un dau (UK0092 0312), Mistyf Huws?"

Roedd Ifor yn cymryd rhan mewn cwis. Cwis â'i fywoliaeth yn dibynnu ar gywirdeb ei atebion.

"Wel, ma'f llyfa'n edfach yn o ce, Mistyf Huws. Ond," meddai wrth roi stamp a sgwigl awdurdodol ar waelod y dudalen.

"Ond be?" gofynnodd Ifor gan wasgu'i ddannadd mewn poen.

"Ma'n fhaid i fi fhybuddio chi. Ma'n siŵf gneith chi colli 10% o Beef Special Premium chi fwan," meddai Malcym mor ddihidio a phe bai'n trafod bywoliaeth rhywun arall.

"Blydi hel! Pam?" gofynnodd Ifor cyn llithro i wasgfa arall.

"Ond Malcym bach, 'da chi'm yn bod yn hollol afresymol 'dwch?" gofynnodd Marian. "Ma' hi'n amlwg nad yda ni'm yn twyllo. 'Da chi'n gwbod be ydi rhif y bustach. Mae o i lawr ar ych papur chi."

"Ia, ond dwi'n gofod ei weld o â'n llgada'n hun, Musus Huws."

"Ond tyda chi ddim wedi gweld 'run ohonyn nhw hefo'ch llgada'ch hun, tasa hi'n dŵad i hynny! Ifor sy wedi'i ddarllan nhw i gyd."

"Yli, was!" meddai Ifor yn fygythiol.

"Ifor pwylla!" crefodd Marian.

A dyna'n union ddaru Ifor er bod chwys yn codi'n swigod

fel marblis ar ei dalcan. Ac yna meddai mewn rhyw lais ffalslyd gwahanol cyn taro'i law ar gefn Malcym yn gyfeillgar.

"Paid a phoeni! Dio'm ots siŵr! Dallt yn iawn! 'Mond gneud dy job w'ti'n 'de, Mal."

"O'n i'n gwbod y basa chi'n dallt, Mustyf Huws," sythodd Malcym yn bwysig.

"Rwan 'ta, ddudis di dy fod ti isio gweld tagia'r deg buwch fagu 'na hefyd yn do?"

"O, ia do, os na 'dio'n ofmod o dfaffath 'de, Mustyf Huws..."

"Dim o gwbwl, Malcym. Waeth i ti ga'l gorffan y job yn iawn ddim, na waeth? Ma'r buchod yn y sied yn barod yli," meddai gan wasgu'i ddannadd mewn poen.

"O, gfêt !" gwenodd Malcym.

"Wel, symud o'r ffor' 'ta, Marian. Sdim isio cadw dyn da o'wrth 'i waith, nagoes?" meddai Ifor gan ei gwthio o'r ffordd.

Ond doedd dim ond dryswch llwyr ar wynab Marian. Oedd Ifor wedi taro'i ben pan gafodd y gic, tybad...?

"Hwyl i 'chi fwan, Musus Huws!"

A phan gyrhaeddodd Ifor a Malcym y sied:

"Ar dy ôl di, Malcym," meddai Ifor gan agor y giât i fynd at y fuwch ddu a'i llo.

Ond cyn i Malcym ga'l cyfla i ddeud: "Diolch yn fowf, Mustyf Huws," roedd o wedi fflio allan o'r sied wysg ei gefn a thalcan y fuwch wyllt yn dynn ar ei frest a thân yn dod o'i ffroena, a'r tag melyn sgwâr yn ei chlust yn dawnsio o flaen ei llgada.

"Ddarllenis di'r tag 'ta, Malcym?" gofynnodd Ifor ar ôl ei achub.

Ond roedd Malcym wedi styrbio gormod i atab.

Trogod

Roedd Ifor wedi treulio'r mis dwytha yn llythrennol ar ei linia. Dim am ei fod o'n ddyn crefyddol ond am ei fod o'n ffarmwr a hitha'n wanwyn. Ac er fod y boen yn ei ben-glin yn annioddefol ar brydia roedd hi'n amhosib tynnu oen heb benlinio.

Rhoddodd gynnig ar weddio fwy nag unwaith ond pharodd hynny ddim yn hir. Doedd waeth iddo siarad hefo fo'i hun ddim. A dyna'n union roedd o'n 'i neud pan droediodd rhyw ddwy hogan ysgol i mewn i'r sied yn ofalus ar flaena'u traed.

"Mr Huws?" galwodd un.

Ond boddwyd ei chri gan frefu byddarol llond sied o ddefaid llwglyd yn barod i ga'l eu bwydo. A phenderfynodd y ddwy fentro'n eu blaena ar hyd y llwybr llyffant a fyddai'n eu harwain at Ifor ym mhen draw'r sied.

Roedd hi wedi bod yn wanwyn hirach a mwy blinedig nag arfar a doedd o ddim wedi dod i ben eto yn wahanol iawn i'r bagia nyts. Roedd rheiny bron â gorffan. Dim ond digon ar gyfar bwydo heno oedd ganddo a doedd o ddim wedi talu am y rhai cynta eto. Roedd o'n fatar hawdd yn y bôn. Roedd arno fo bres i'r CoOp am y nyts ac roedd ar y Llywodraeth gymorthdal iddo fynta.

"Cymorthdal i ffarmwrs! Dyna be ydi jôc os buodd 'na

'rioed achos mi fydd 80% o nghymorthdal i wedi mynd i dalu cyfloga biwrocratiaid ymhell cyn iddo fo gyrradd Corsydd Mawr ac mi fydd yr 20% sy'n weddill (pan gyrrhaeddith o!) yn cael ei larpio gan y cwmnia llwch, blawd, peirianna ac yn y blaen, a phob un yn manteisio arna i trwy godi'u prisia i'r entrychion. Pris teg am 'y nghynnyrch mewn marchnad deg, **dyna** dwi isio…!" rhesymodd Ifor hefo fo'i hun. "Ac oni bai am y **mul** Malcym 'na…!" Gwasgodd ei ddannadd a'i goes i ladd y boen. Roedd yn rhaid iddo fynd i weld rhywun ynglŷn â'i ben-glin. Ond pryd gâi o amsar?

Cydiodd yn y bag nyts cynta a'i godi ar ei gefn a chwyddodd y gymeradwyaeth frefol fel torf o gefnogwyr pêl-droed wrth iddo nesu at y gôl. Ond yn union fel cefnogwyr pêl-droed roedd y defaid hefyd wedi eu cau mewn corlanna, diolch byth, neu mi fasan wedi ffagio Ifor cyn iddo ga'l cyfla i wagio'r bag.

"Mr Huws?" galwodd un o'r genod ifanc eto cyn sylweddoli nad oedd hi dama'd haws ac oedodd y ddwy ar ganol llwybr y sied gan edrych ar ei gilydd bob yn ail ag ar Ifor.

"Mr Huws?" galwodd yr hogan sbectol y tro yma. Ond roedd hi'n amhosib clywed neb yng nghanol y môr o frefu a hwnnw'n chwyddo'n rhyferthwy wrth i Ifor droi 'i gefn i nôl bag nyts arall.

Dechreuodd y ddwy hogan ysgol biffian chwerthin a phwnio'i gilydd wrth sylwi ar y dyn carpiog, budr, blewog yn siarad hefo fo'i hun yn y pelltar. Roedda nhw newydd weld rhywun digon tebyg iddo ar y teledu y noson cynt: neanderthal man!

"E'lla mai tramp ydio!" pwniodd un y llall nes methodd honno â chadw'i chwerthin yn ei bol.

"Naci, neanderthal!" chwarddodd y Sbectol cyn annog ei

gilydd i gallio a mynd yn nes at y creadur cyntefig ym mhen pella'r sied.

Agorodd Ifor y bag nyts. Ond fel yr oedd ar fin ei dywallt yn daclus o dan drwyna'r defaid clodd ei ben-glin a llifodd y nyts fel rhaeadr dros ei ysgwydd a disgynnodd Ifor ar ei ochr.

"Baaaaaa!" gwingodd mewn poen ar lawr gan wasgu'i ben-glin nes ciliodd y boen o'r diwedd a dechreuodd rawio'r nyts yn wyllt yn ôl i'r bag hefo'i ddwylo.

"Mr Huws?" gofynnodd y Sbectol fodfadd o'i wegil.

"Haaa!" bloeddiodd Ifor mewn braw.

"Aaaaaaaaaaaa!" Sgrechiodd y ddwy hogan gan gydio'n 'i gilydd.

"Be dachisio?!" arthiodd Ifor.

"Nes i'ch ffonio chi ddechra'r wsos ac mi ddudo chi wrtha i am ddŵad yma erbyn naw heddiw," meddai'r Sbectol.

"Do?" gofynnodd Ifor yn llawn syndod. Ond ar ôl iddo chwilio pob ffeil yn ei ben fe lwyddodd o'r diwadd i ga'l hyd i'r cofnod mewn bin ailgylchu rwla yn eigion ei gof:

"Trading Standards sy'ma, Mr Huws. Ffonio i drefnu i ddŵad draw i'ch gweld chi ydw i. Isio tsiecio'ch llyfra movements a medicine chi i weld os ydi bob dim yp-tw-dêt. Fydd dydd Iau yn iawn?"

"Dowch yma erbyn hannar awr wedi saith."

"Sori, ond 'da ni'n gorffan gweithio am **bump**, Mr Huws."

"Naci, hannar awr wedi saith y bora o'ni'n feddwl," meddai Ifor.

"Oh ! Ces!!" chwarddodd yr hogan yn afreolus.

"Fydda' i'n tŷ'n ca'l 'y mrecwast am hannar awr wedi saith," meddai Ifor wedyn.

"Ond dyda ni'm yn dechra gweithio tan naw," sobreiddiodd yr hogan.

Braf iawn, meddyliodd Ifor.

"Mr Huws?" galwodd y Sbectol cyn edrach mewn cyfyng-gyngor ar y llall.

"Be?" A daeth Ifor yn ôl i sŵn byddarol brefu'r defaid llwglyd ac ogla sebon sent a wyneba glân y ddwy hogan ysgol a oedd yn hofran uwch ei ben.

"Gawn ni weld ych llyfra mwfments chi 'ta?"

"Rhaid i mi orffan bwydo'r defaid 'ma gynta," meddai Ifor.

A gadawodd y genod glân i sefyll yn eu hunfan yn gwylio'r amsar ar eu garddyrna bob yn ail â chrafu gwadna eu sgidia ar y llawr. Roedda nhw'n siŵr eu bod nhw wedi sathru rwbath anghynnas yn ôl yr ogla drwg oedd yn llenwi eu ffroenna…!

Ond ar ôl i Ifor orffan bwydo, a'r sied ddistewi'n ddisymwth, dilynwyd o gan y ddwy hogan i'r tŷ. Sychodd y ddwy eu traed yn wyllt yn y cocomatin ar garrag y drws bob yn ail ag edrach o dan eu gwadna rhag ofn mai baw ci oedda nhw wedi'i sathru.

"Helo," meddai Marian a oedd yr un lliw â'r magnolia ar ôl gwanwyn prysurach nag arfar.

"Helo, Holly ydw i," meddai'r hogan sbectol.

"**Holi** be rwan 'to?" gofynnodd Ifor yn ymosodol.

"Williams."

"Naci, Huws. Ifor Huws," meddai hwnnw'n ddryslyd.

"Sori?"

"Ylwch, 'sgin i'm amsar i'r **holi** dragwyddol 'ma. Ma 'na rywun yma byth a beunydd yn mesur, yn cyfri, yn pwyso, yn tshecio os dwi wedi tagio'r peth yma a'r peth arall. Wel, sgin i'm amsar ylwch. A ddudai rwbath arall wrtha chi. Taswn i'n cynhyrchu **dim byd** fasa gynno chitha **ddim byd** i neud chwaith!" Rhechodd.

"Siwgwr?" gofynnodd Marian.

A chyn gofyn os oedd y genod isio panad o de roedd hi wedi gneud un iddyn nhw'n reddfol.

"O diolch, Musus Huws. Ddudodd Malcym wrtha i ei fod o'n ddyn gwyll... y prysur ofnadwy," chwarddodd Holly yn nerfus gan daflu ei phen at Ifor.

"Malcym ddudo chi?" cododd Marian ei chlustia. "'Da chi'n 'i nabod o?"

"Ma' nhw newydd ingejio," meddai'r llall a daliodd Holly ei llaw fodrwyog o dan drwyn Marian.

"Roth o'm tag yn dy glust di?" gofynnodd Ifor.

"Ifor!"

"Be ddudo chi oedda chi isio'i weld, 'ta?" gofynnodd yn ddifynadd.

"Llyfr livestock movements a llyfr medicine," meddai Holly cyn cymryd cegiad o'i the.

"Dyma nhw," meddai Marian gan estyn y llyfr moddion o bocad ei chôt a hwnnw'n faw defaid a gwaed drosto ac un slafan gochddu hir wedi c'ledu ar ei gongol ucha. A gwthiodd ei braich 'dat ei phenelin i nôl y llall oedd wedi llithro i lawr rhwng braich a chlustog y gadair freichia.

"Be arall 'da chi isio?" gofynnodd Ifor mewn llais anfwriadol fygythiol.

"O... dim, dwi'm yn meddwl...," meddai Holly gan drio fflicio drwy'r llyfr moddion heb roi ei bysadd yn y budreddi ar y tudalenna. "M... mm... ydi... ydi, ma' bob dim yn edrach yn... o ce... dwi'n meddwl dydi...? Be ti'n feddwl?" gofynnodd i'r Sbectol.

"Mmm... ydi. Edrach yn o ce, tydi?" cytunodd honno wrth estyn ginger nut arall i roi yn ei the.

Diflannodd Marian i'r sied bron yn ddiarwybod iddi'i hun. Roedd defaid y penia bach angan dŵr a gwair ac roedd honno'n job oedd yn rhaid ei gneud. Mor braf fyddai bugeilio llond sied o ddefaid plastig, meddyliodd. Defaid a fyddai fel rhifa ar bapur, byth yn brefu, byth angan bwyd na dŵr na'u cneifio na'u dipio na dim byd o gwbwl a deud y gwir.

Gwagiodd Marian y dŵr budr o'r hen jar blastig, a dorwyd yn ei hannar i neud cafn dŵr, a chydiodd mewn dyrnad o wellt i grafu'r baw defaid gwyrdd-ddu oedd wedi'i sathru ac wedi glynnu fel gliw styfnig ar waelod y jar.

"'Da chi yn dallt bo chi'n gorfod rhoi tag yng nghlust pob oen tew cyn i chi'i werthu fo o'r cynta o Ebrill ymlaen yn tydach, Mr Huws?" gofynnodd Holly i gyfiawnhau ei swydd.

"Ydw. Ond 'sgwn i os yda chi'n **dallt** mai fi sy'n gorfod talu am y tagia a cha'l amsar i dagio pob oen ar ben fy hun bach neu **dalu** i rywun arall neud yn fy lle fi? A ma 'na ffasiwn beth a minimum wage ar ga'l i bawb sy'n gweithio i fi er nad ydw i'n hun yn ca'l cyflog o gwbwl," cythruddodd Ifor.

"Ia, ond ma' **tagio a tresabiliti** yn bwysig iawn 'chi, Mr Huws. Ma' gallu deud o lle ma'r oen wedi dod yn mynd i roi mwy o werth arno fo i chi. Gewch chi lot gwell pris amdano fo yn y pendraw!" meddai Holly'n frwdfrydig.

"Olrheinedd... tagia... ffarm ashiward... MLC... dwi'n talu i fod yn perthyn i bob rhyw sgîm a sgiâm ond dydw i ddim yn ca'l 'run geiniog yn fwy y kilo am 'y nghig eidion na nghig oen ar 'i diwadd hi!" mylliodd Ifor nes roedd ei wynab yn fflamgoch, a gollyngodd rech.

"O! A un peth **bach** arall!" meddai'r Sbectol. "Dyda chi ddim wedi llenwi'r golofn yma yn fa'ma sy'n gofyn pa liw paent yda chi'n iwshio i farcio'r ŵyn..."

"Mi fyddwch chi yn eu marcio nhw cyn iddyn nhw fynd i ffwrdd yn byddwch?" gofynnodd Holly.

"Byddaf," meddai Ifor. "A ma' croeso i chdi a chditha ddŵad yma i'n helpu fi tro nesa y bydda i wrthi os liciwch chi, achos dwi'n ca'l dim byd am neud hynny chwaith."

"Wel, mi fasa'n **help** tasa chi jyst yn sgwennu lliw y paent fyddwch chi'n iwsio i lawr yn y golofn yma, jyst i fod yn saff 'de," meddai Holly.

"Ond mi fydd yr oen wedi'i ladd cyn i mi ga'l cyfla i lenwi'r llyfr…!" meddai Ifor wrtho'i hun ond ddaru o ddim traffarth deud achos roedd o wedi blino gormod i siarad yn enwedig am betha mor ddibwys. A chaeodd y tun bisgedi'n glep a gorffwys ei benelin arno rhag i'r Sbectol estyn un arall. Roedd hi wedi gneud digon o **draffarth** iddo'n barod heb sôn am ddechra'i **lwgu** hefyd.

Yna ar ôl rhoi stamp awdurdodol a sgwigl ar waelod y dudalan wrth ymyl rhai Malcym, dringodd Holly a'r Sbectol yn ôl i'w ffor-bai-ffor, ar ôl tshecio fod gwadna eu sgidia'n lân, a gyrru'r deugain milltir hamddenol yn ôl i swyddfeydd y Cyngor Sir.

Pan aeth Ifor yn ôl i'r sied dechreuodd groesholi Marian am roi panad i'r Holly 'na a'r llall. Dyma lle'r oedd ô'n methu dod i ben â thalu am nyts i'w ddefaid a hitha'n **rhannu** ei ginger nyts o hefo Trogod! Ond roedd Marian yn rhy brysur yn rhoi anadl einioes i rhyw oen bach newydd anedig, i gymryd sylw o Ifor.

"Driish i bob dim ond nath o jyst ddim cymryd ei wynt," meddai Marian yn llipa.

"O wel," meddai Ifor. "Un tag yn llai i'w brynu…! Ond mi fydd gofyn i mi gael tri deg o ŵyn yn fyw leni a cha'l pris da amdanyn nhw, dim ond i dalu am y tagia."

Aeth Ifor a Marian yn eu blaena i borthi a rhoi gwellt glân o dan y defaid a'r ŵyn a'r gwartheg a'r lloua.

Roedd hi'n amser cinio. Dim am fod rhyw gloch wedi canu nac am fod 'run cloc yn deud hynny ond am fod bolia'r ddau yn wag a'u symudiada wedi dechra arafu.

Tarodd Ifor y badall ffrio ar y tân a thaflodd Marian fecyn i mewn iddi. 'Stynnodd Ifor am y llythyra ac agorodd Marian y papur newydd. Amlenni brown. Bilia. Bil CoOp am y nyts defaid oedd y cynta agorodd o, wedyn y bil ffariar a wedyn y bil am drwshio fforch-y-tractor a wedyn y bil am dagia'r ŵyn... A dyna pryd y cofiodd am Holly... ac am Malcym... ac am ei gymorthdal Buchod Sugno, y cymorthdal y dylsai fod wedi'i dderbyn ers misoedd bellach ac y byddai wedi'i dderbyn hefyd, oni bai i'r lembo hwnnw fynnu bod mor groes! Rhechodd yn rhibidires.

"Helo, ga' i siarad hefo-"

"-Roeso i Gynulliad Cenedlaethol Cymru, Adran Amaethyddiaeth ... gwasgwch UN."

"Ga' i siarad hefo rhywun o Adran Buchod Sugno os gwelwch yn dda? Ifor Huws Corsydd Mawr sy 'ma a dwi'n dal i ddisgwl am fy sybsidi Buchod Sugno a dw i isio gwbod lle mae o?"

"O, sori, ond 'sna neb ar ga'l heddiw. Ma pawb ar hyfforddiant."

"Hyfforddiant be?!" gofynnodd Ifor mewn anghrediniaeth.

"Hyfforddiant cyfrifiaduron."

"Blydi hel be nesa?!"

Sodrodd y ffôn yn glec, gollyngodd rech ac aeth yn ôl i'r sied at y defaid. Doedd modrwy'r ddafad a welodd cyn cinio byth wedi agor ac roedd yr hyn a ofnai cyn cinio bellach yn rheidrwydd. Llwythodd y ddafad i gefn y fan a mynd â hi at y ffariar i ga'l siserian.

Roedd y llawdriniaeth ei hun yn llwyddiant. Ond roedd y ddau oen wedi marw. Ac fel tasa hynny ddim yn ddigon o newyddion drwg am un diwrnod roedd mwy o drafferthion yn ei ddisgwyl pan gyrhaeddodd adra.

Saethodd Marian allan o'r tŷ, cyn i Ifor gael cyfla i ddiffod y fan, yn gneud siâp ceg fel 'sgodyn ac yn ei annog yn wyllt i'r tŷ hefo'i braich:

"Ifor ma 'na rhyw ddyn IACS isio dy weld di."

"Hai! Neville IACS Department-" cododd rhyw hogyn ifanc mewn côt ledar ei law arno.

"Be tisio?" gofynnodd Ifor yn ddifynadd. Doedd o ddim yn mynd i ga'l collad yn y sied eto tra roedd rhyw lembo fel hwn yn wastio'i amsar yn y tŷ.

"Wrthi'n gneud digital measurements o'r IACS maps yda ni a-"

"Be?"

"A meddwl o'ni 'sa chi'n gallu mynd â fi rownd y caea yn y pic-yp?"

"Dim tacsi ydw i. Cerdda."

A diflannodd Ifor i'r sied a chau'r drws ar ei ôl. Roedd cwmni anifeiliaid yn gallu bod yn ddihangfa weithia.

Ond o'r funud y caeodd o'r drws daeth lleisia'r dwrnod cynt i'w boenydio:

"Hoi! Ti! Ble ma'r bos? Mistir Hiws, ife? Wi a'r Fet fan hyn, moin i weld e. Ti **yn** gwitho iddo fe'n dwyt ti?" gofynnodd y Welintons Glân.

"Ydw. Achos yn anffodus ma' 'Mistir Hiws' yn gorfod gweithio iddo fo'i hun am fod 'na gymaint o **Drogod** yn byw ar 'i gefn o!" meddai Ifor gan hencian yn nes ato.

Ond doedd y boi ddim yn dallt achos doedd o ddim yn gwbod be oedd 'trogod'.

"Ni wedi dod i tsheco'ch FAWL 'status' chi, Mistir Hiws," ychwanegodd y Welintons cyn edrach ar bentwr o gyrff ŵyn yn y gongol, a rhoi pwniad i'r Ffariar.

"Ia, fi ydi'r torrwr bedda, y cariwr, y gweinidog a'r claddwr," meddai Ifor. "Ac o dan y dorchan y bydda nhw i gyd pan ga'i amsar i'w rhoi nhw yno."

"Breeding ground for germs," meddai'r Ffariar.

"Should be disposed of immediately," meddai'r llall gan ysgwyd ei ben o ochr i ochr a sgrifennu rwbath ar ei glipbord.

Yn y gwyllt, mi fasa anifeiliaid marw fel rhein yn fwyd i adar ac anifeiliaid er'ill..., meddyliodd Ifor.

"Ble ma'ch system trafod **da** chi, Mistir Hiws?" gofynnodd y Welintons Glân.

"Wel, dwn i'm pa mor **dda** ydi o," meddai Ifor "Ond mae o'n gneud y tro'n iawn i mi."

Doedd crysh Ifor ddim y mwya cyfoes o gryshis erbyn hyn ond roedd o'n ddigon cry ac yn gneud y tro yn iawn. Faint o farcia allan o ddeg gafodd o doedd o ddim yn gwbod a doedd o'n hidio 'run botwm corn chwaith.

"Lle yda chi'n cadw'ch moddion?" gofynnodd y Welintons.

A phwysodd Ifor ei gefn ar ddrws y fan rhag ofn iddyn nhw weld y syrinjis a'r poteli'n sdicio allan o'r bocad o dan y dashbord!

"Gin i gwpwrdd!" meddai Ifor ac arweiniodd y ddau i'r cwt twls gan agor drws rhyw gwpwrdd a'i hinjis wedi rhydu gymaint nes roedda nhw'n gwichian.

"Dyma fo," meddai Ifor gan ddal ei afa'l yn dynn yn y drws rhag ofn iddo ddisgyn i ffwrdd.

A heb fawr o ymatab, dim ond un ochenaid ddofn arall, fe sgrifennodd y Ffariar rwbath ar ei glipbord.

"Ŷd. Ble chi'n cadw'r ŷd, Mistir Hiws?"

"Yn y bin," meddai Ifor.

A dilynnodd pawb Ifor unwaith eto.

Ond doedd 'na ddim rhwyd dros yr ŷd. Rhwyd oedd i fod i gadw adar bach allan.

Ma'r ffernols yma am lwgu pawb, ond nhw'u huna'n...!

meddyliodd Ifor.

Wedi'r cwbwl, roedd o'n ddigon bodlon i adar bach ga'l têc-awê o'r bin ŷd fel fyd fynno nhw. Dyna fu'r drefn yng Nghorsydd Mawr erioed.

"Wel, Mistir Hiws, ma'n ddrwg 'da fi ond wi'n credi y bydd yn rhaid i ni rifiwo'ch case chi. So chi'n dod lan â safon FAWL... dim o bell ffordd!"

"Wel, 'dio ddiawl o bwys gin i a deud y gwir, achos ers pan dwi'n talu i fod yn perthyn i FAWL dwi'n ca'l **llai** o bris am fy ŵyn nag o'ni'n ga'l pan ddechreuis i ffarmio! Os ydi FAWL yn rhoi cyflog i chi'ch dau, pob lwc i chi. Ond dio'n ddim byd ond costa i mi!" Tarodd rech swnllyd.

"Fyddwn ni mewn cysylltiad 'da chi, Mistir Hiw-"

"Dwi'n mynd!" medda Ifor. "Gin i waith i neud!"

Ond ddoe oedd hynny ac ar ôl gyrru'r lleisia aflafar o'i ben dychwelodd Ifor at helyntion heddiw. A dyna pryd y rhoddodd rhyw ddyn gwallt gwyn ei ben yn yr agoriad rhwng dau ddrws llithro mawr y sied, a chyflwyno'i hun:

"Martin Morus ESA. Sut ydyc ci?"

Yn well taswn i'n ca'l llonydd, meddyliodd Ifor.

"Dw i wedi clywyd cymaint o sown am Cysydd Mawy wyddoch chi. Do wiy. Buodd hocyn fy chwaey yn cyfraith yn cweithio yma am flynythoedd hefo ci fel 'farm manager'."

"Ci?" gofynnodd Ifor mewn penbleth.

"Malcom Parry? Ydyc ci'n cofio fow?"

"O, hwnnw! Ydw, mwya'r piti...!" chwyrnodd Ifor dan ei wynt.

"Wel, mi piciaf i o amcylc i cael edryc yn sydyn. Jyst tsheciow os ydyc ci wedi cadw at eic rhan ci o'r scheme... Righty-how, Mr Hughes. Cwelaf ci'n munud 'te!"

"Hei, 'rhoswch funud! 'Da chi'n dallt nad ydw i byth wedi

ca'l 'run geiniog gynno chi eto tydach! Er mod i wedi cadw at amoda'ch cynllun ESA chi ers dwy flynadd!" eglurodd Ifor.

"Ow, mae hwn wedi bod yn scheme popular iawn, Mr Hughes. 'Rydyn ni'n understaffed ofnadwy ac mae llawer o backlog ond dwi'n siŵr y cewc ci'r arian yn fuan. Nawr 'te, pa fforth mae'r cors?" gofynnodd y dyn cefnsyth, wrth droi ei fap bob ffordd ond yr un iawn a chamu'n anturus at y giât.

"Ydi'r ciât yn agor?" gofynnodd y Cefnsyth wrth chwilio'n daer am gliciad rwla rhwng y ddau golyn.

"Ydi, 'sa chdi'n trio'r pen arall!" meddai Ifor a meddwl mor druenus fasa hi ar y creadur bach hwnnw tasa fo'n gorfod tyfu a hela'i fwyd 'i hun…!

Aeth Ifor ati i gladdu'i golledion. Ond pan daflodd y bag ar ei gefn fe glodd ei ben-glin a disgynnodd ar ei ochor i ganol rhwtra. Gwasgodd ei goes i ladd y boen. Roedd yn rhaid iddo fynd i weld rhywun ynglŷn â'i ben-glin. 'Tae o'n gallu'i dadsgriwio hi mi fasa Marian wedi gallu picio â hi at y doctor ers tro. Ond fedrai o ddim ca'l amsar i fynd 'i hun. Sut allai o ga'l amsar? Y fo, y truan cyntefig oedd mewn brwydr barhaus â byd natur a'r tywydd saith dwrnod yr wsos, ddeuddag mis y flwyddyn yn cynhyrchu bwyd a rhoi bywoliaeth braf i bawb ond fo'i hun! Gollyngodd rech.

Stryffaglodd Ifor ar ei draed a llusgodd y bag ŵyn marw ar ei ôl i'r cae a dechra tyllu. Ond wrth drio arbad ei ben-glin ddrwg dechreuodd ei gefn frifo. Stopiodd a sythodd i leddfu'r boen a chodi ei olygon o'r twll i fyny i'r awyr las cyn gorffwys ei lygaid ar y caea patrymog o'i flaen. Oedd, roedd 'na lafur cenedlaetha ar genedlaetha, dros ganrifoedd ar ganrifoedd wedi mynd i greu patryma'r caea. Yr holl hel cerrig, codi walia, codi cloddia, agor ffosydd ac roedd Ifor ynta wedi llwyddo i lasu ambell weirglodd yng Nghorsydd

Mawr hefyd ers iddo ddechra ffarmio yno. Ond cors oedd cors a lle methodd Duw doedd Ifor ddim yn debygol o lwyddo a dyna pam y cofrestrodd Tonnan Fawr yn y cynllun ESA ddwy flynadd yn ôl. Doedd waeth iddo hynny ddim achos allai o neud dim byd arall a'r lle a phrun bynnag roedd o wrth ei fodd yn gweld Plu'r Gweunydd yn siglo yno yn y gwynt. Ond roedd 'na rwbath arall gwyn yn siglo yno rwan... Y dyn ESA! Ond be ar wynab daear oedd y Cefnsyth yn neud yng nghors Ynys Wen?!

Ysgydwodd Ifor ei ben yn ddi-hid cyn taflu'r ŵyn marw i'r twll. Ddaru o ddim gweddïo ar lan y bedd achos roedd bod yn dorrwr bedda, yn ymgymerwr, yn ddreifar yr hers ac yn weinidog ddim yn gada'l llawar o amsar sbâr i rywun. Ond pan safodd ar ben y bedd i g'ledu'r pridd o dan ei draed, clodd ei ben-glin a gwasgodd ei ddannadd yn dynn nes ciliodd y boen. Yna henciodd i'r cwt twls i gadw'r rhaw cyn iddo ei chychwyn hi ar droed unwaith eto, rownd y defaid a'r ŵyn bach.

Ond cyn iddo ga'l cyfla i droi ar ei sawdl:

"Grêt o *walk*, honna!" broliodd yr hogyn IACS. Ga'i sbario mynd i'r circuit-trening heno, rwan...!" ychwanegodd gan sychu'i dalcan a thaflu'i gôt ledar dros ei ysgwydd.

"Gwaith ydi cerddad i fi, dim hobi," meddai Ifor gan hencian yn ei flaen heb aros.

"'Rhoswch! Ma' genna i... y... 'sgynnoch chi funud, Musdyr Huws...?"

"Nagoes!"

"Wel, ma'... ma' gennai dipyn o waith trafod hefo chi, 'lly 'de..." rhedodd y Gôt Ledar ar ei ôl.

"'Sgin i'm amsar. Rhaid mi fynd rownd y defaid a'r ŵyn," meddai Ifor.

"Ond ma'n rhaid i fi ddiscyshio'r fform IACS 'ma hefo

chi, Musdyr Huws, cyn i fi fynd 'lly 'de. Well i ni fynd i'r tŷ, ia?" awgrymodd yn awyddus.

"Deud be tisio'i ddeud yn fa'ma achos be bynnag ydio dydio ddim o mhlaid i neu fasa ti ddim yma i ddechra arni, na'sat," meddai Ifor.

"O ce 'ta, Musdyr Huws. Dria i ngora...," meddai'r Gôt gan duchan wrth orfod rhoi ei fap a'i bapura ar fonat y fan oedd yn genllysg o faw adar.

"Y... reit 'ta... lle mae o rwan...? O ia... cae yma... nymbyr 6652..."

"Cae Pant. Ia, be amdano fo?" gofynnodd Ifor.

"Wel, mi welish i dipyn o 'gorse', 'lly 'de, yn y gongol yma..."

"Eithin ti'n feddwl?"

"Naci, naci, sori... yn y gongol yma."

"... Ia?" gofynnodd Ifor.

"Wedyn, dwi wedi dynnu fo allan o'ch forage area chi, 'lly 'de," cynhyrfodd fel 'tae o wedi gneud clamp o ffafr ag Ifor.

"Fel y bydda inna'n ca'l llai o gymorthdal," meddai Ifor.

"O! A mi welish i 'water trough-'"

"Cafn dŵr,"

"Ia, yn gongol field nymbyr... 6657."

"Cae Pont Bridd."

"A doedd hwnna ddim i lawr ar ych IACS chi chwaith, 'lly 'de. Felly nes i fesur o. 2.45 meter bai 56cm. A dw i 'di dynnu fo allan o'ch arable payments chi, o ce? O, a 'da chi'n cofio bod yr extensifficeshiyn wedi newid leni, dydach. Dydi Arabl ddim yn cyfri fel Forage. Felly mi fydd hwnnw'n ca'l 'i dynnu o'ch sybsidi chi hefyd, 'lly 'de."

"Wedyn be ti'n drio'i ddeud wrtha fi yn y bôn ydi, **'lly 'de** y bydda i'n ca'l lot llai o gymorthdal na dwi'n 'i ga'l rwan, ia?" meddai Ifor gan daro rhech dawel, ddrewllyd.

"Wel, fydd o'm lot llai... 'lly... 'de...," pesychodd y Gôt.

"Na fydd, i **chdi**!" meddai Ifor.

"Na, onest, newch chi'm gweld y gwahania'th 'chi," pesychodd i'w ddwrn.

"Na 'naf ? Deud i mi, be taswn i'n dŵad i dy weld di a deud wrtha chdi mod i'n rhoi llai o gyflog i chdi o wsos nesa ymlaen am neud yr un gwaith yn union â ti'n neud rwan, fasa ti'n gwenu fel giât? Fasa ti'n falch? Fasa ti?!" gofynnodd Ifor gan ollwng rhech arall. "Dwrnod calad o waith! Dyna 'sa'n gneud lles i betha fath â chdi!"

"Ond dwi 'di cerddad **tri** cae pnawn 'ma!" mynnodd.

"A gan dy fod ti yma yn llamu a mesur, 'sgwn i fedri di ddeud wrtha i 'ta, sawl erw ydi Corsydd Mawr 'ma ar dy lyfra di erbyn hyn?"

"Y... ffendia'i o i chi rwan, Musdyr Huws... y... cant, pwynt, pump deg wyth hecter (100.58) neu dau gant pedwar deg wyth, pwynt, pedwar deg tri erw, 'lly 'de (248.43)."

"Dau gant pedwar deg wyth? Rhyfadd 'de. Achos roedd hi'n arfar bod yn ddau gant a hannar o erwa. Neu dyna faint oedd hi pan brynodd 'y nhaid hi," meddai Ifor.

"Ia, ond ma digital yn lot mwy **pryseis** 'chi," mynnodd y Gôt Ledar.

***

Ac wrth lusgo'i goes ar ei ôl ar draws yr iard gofynnodd Ifor iddo'i hun be oedda nhw'n neud hefo'r holl arian roedda nhw'n ei gribinio'n ôl o geisiada ffarmwrs...? I lle'r oedd o i gyd yn mynd? I dalu cyfloga ac i gynnal mwy o Drogod siŵr o fod. Ac ar y gair pwy ddaeth o'r gors a'i wallt yn wyllt ond y Cefnsyth 'i hun.

"Mr Hughes? Mr Hughes? Dw i eisiau gair! Dw i eisiau gair! Rydyc ci wedi torri contract yr ESA! Rydyc ci wedi acor ffosydd yn y cors!!"

"Nadw wir!" meddai Ifor.

"Ond rydwyf i newydd eu cweld nhw cyda'm llycaid fy hun Mr Hughes!!" mynnodd y dyn â'i wynab yn fflamgoch.

"Dw inna newydd ych gweld chitha'n tresbasu yng nghors Ynys Wen," meddai Ifor yn ddigynnwrf cyn hencian yn ei flaen rownd y defaid.

Faint o drogod fedar fyw ar gefn oen...? Faint o fiwrocratiaid fedar fyw ar gefn ffarmwr...? gofynnodd Ifor iddo'i hun. Ond yn bwysicach na hynny, ar be fydd trogod yn byw pan fydd 'na ddim ŵyn...? Ac ar be fydd biwrocratiaid yn byw pan fydd 'na ddim ffarmwrs...?

Henciodd Ifor yn ei flaen gan rechan fel machine-gun.

Cyfri Defaid

"Helo Mustyf Huws, Malcym sy 'ma! 'Mond gada'l i chi wbod bo fi'n dŵad i Cofsydd Mawf i gyfi defaid-"

"Dow Malcym! Dwi'm 'di gweld na clwad dim byd gin ti ers tro rwan, dim ers pan fuos ti yma'n tshecio tagia'r gwarthaig 'na mis Tachwedd... a ma' hi'n fis **Mai** rwan tydi," meddai Ifor cyn gofyn: "Ges **ti** dy gyflog mis dwytha?"

"O do! Do diolch, Mustyf Huws. Ef, fuos i'n sâl am bfon i ddau fis 'chi. Ond dw i dipyn bach yn well fwan, diolch i chi am ofyn 'de."

"A pam nad ydw i byth wedi ca'l ceiniog o'r Beef Special Premium 'ta? Ma'r fform i mewn ers dechra Rhagfyr," meddai Ifor.

Be oedd yn bod ar yr hen drefn mewn difri, pan gâi rhywun bris tecach am ei gynnyrch yn y farchnad yn lle llenwi ffurlenni diddiwadd a byw ar ryw addewid am arian nad oedd byth yn cyrradd ar amsar? Ond nid Ifor oedd yn gneud y rheola. Nid y fo oedd yn rhedag y wlad. Ond roedd o'n gwbod yn iawn pwy oedd, o oedd, yr archfarchnadoedd a'r Llywodraeth; yr un yn ddau a'r ddau yn un.

"O peidiwch â poeni, Mustyf Huws, wfthi'n ca'l 'i bfosesu mae o ma'n siŵf, 'chi. Feit 'ta, wela i chi tua dau o gloch fofy i gyfi defaid," meddai Malcym yn bwysig.

"Na 'nei! Os ti'n dŵad yma, ti'n dŵad ben bora," meddai

Ifor ar 'i ben.

"Ond fedfa i ddim dŵad yn bofa."

"Be am ddydd Sul 'ta ?" gofynnodd Ifor.

"O na, na dwi'm yn gweithio ar weekend Mustyf Huws," chwarddodd Malcym.

"Mi ydw i...," meddai Ifor wrtho'i hun. "Be am dydd Llun 'ta?"

"Y? O na, fedfa i ddim. Banc holide tydi. May day. 'Sna neb yn gweithio af banc holide, Mustyf Huws."

"Mi ydw i," meddyliodd Ifor wrtho'i hun. "Sul, gŵyl a gwaith..."

"Ah! Fhoswch am funud! Mi wela i yn fy llyfr bach i...! Tfi o'f gloch pnawn dydd Iau," meddai Malcym yn gynhyrfus.

"A mi wela i ar fy nghalendr mawr i fod saith o'r gloch bora dydd Mawrth yr unfad ar bymthag o Fai yn rhydd gin inna," medda Ifor.

"Ond dydw i ddim yn dechra gweithio tan **naw,** Mustyf Huw-?"

"G'na di fel lici di! Ond mi fydda i ar yr iard am saith," meddai Ifor cyn rhoi'r ffôn i lawr yn glec.

A phan wawriodd Mai yr unfad ar bymthag roedd Ifor wedi gneud dwrnod o waith yn barod, ymhell cyn gweld Malcym am ddeg o'r gloch. Roedd o wedi hencian rownd y caea agosa at yr iard i gyd, i neud yn siŵr fod pob dafad ac oen yn fyw ac yn iach. Ond os oedd y defaid a'r ŵyn bach yn holliach, gwaethygu roedd pen-glin Ifor. Roedd y darna cartlij, oedd yn nofio'n rhydd fel broc môr yn ei ben-glin, yn taro'n erbyn craig bob hyn a hyn ac yn cloi'i goes ac ynta'n griddfan mewn poen ar y llawr ac yn methu â symud. Ac am nad oedd gan Ifor ddim amsar i orwadd ar ei hyd ar y caea trwy'r dydd y penderfynodd o y bora hwnnw, y basa'n well iddo fo fynd rownd defaid y caea pella ym moethusrwydd y fan.

Ond pam yn y byd y buodd o cyn hirad? Wel, allai o ddim profi pwy oedd y cerddwr penchwiban oedd wedi gada'l y giât rhwng y ddau gae yn 'gorad. Ond roedd rhywun wedi gneud ac roedd defaid ac ŵyn y ddau gae wedi cymysgu. Doedd Ifor ddim yn greadur afresymol, a doedd ganddo ddim gwrthwynebiad i 'run creadur byw ar ddwy na phedair coes gerddad llwybra chwaith, dim tra roedda nhw'n cau pob giât ar eu hola. Ond doedda nhw ddim yn gneud hynny bob amsar, a dyna pam y treuliodd Ifor uncoes a'i gi rhech pedair coes, ddwy awr a hannar yn dad'neud llanast y llwdwn deucoes adawodd y giât yn 'gorad y bora hwnnw!

Ac ar ôl treulio darn helaeth o'i fora yn didol dwy ddiadell doedd gan Ifor ddim bwriad o wastraffu mwy o'i amsar allan ar y caea y dwrnod hwnnw achos roedd ganddo gant a mil o betha er'ill i'w gneud. Roedd ganddo waith carthu am ddyddia a doedd o ddim wedi ca'l ei frecwast eto.

"Bofa da, Mustyf Huws. Dwfnod bach neis."

"Ydi?" henciodd Ifor yn syth heibio.

"Fwan 'ta, lle ma'f defaid?" gofynnodd Malcym hefo'i glipbord yn dynn ar ei frest fel beibl.

"Allan ar y caea," meddai Ifor. "A rhyngtha chdi â'u cyfi nhw!"

Wedi'r cwbwl hwn oedd yn gyfrifol am ei gloffni. Hwn oedd wedi malu ei ben-glin! Oedd, roedd Ifor wedi darfod hefo'i gymwynasa a phrun bynnag roedd Malcym yn ca'l cyflog am neud y job.

"Croeso i chdi ga'l y ci, os lici di," gwaeddodd Ifor o garrag y drws. "Gel ydi enw fo."

"Helo, Gel bach! W'ti am ddŵad hefo fi?" gofynnodd Malcym fodfadd o drwyn y ci.

"Gggggrrrrrrrrrrrr!" sgyrnygodd hwnnw'n ffyrnig a bagiodd Malcym yn ei ôl yn ara deg.

Oedd, roedd y ci wedi ca'l llond bol ar bawb yn deud

wrtho be i neud hefyd.

Chwibanodd Malcym yn hamddenol i'r cae defaid cynta a welodd. Ond pan glywodd y defaid rywun yn chwibanu fe ddechreuo nhw frefu am eu hŵyn a hel at ei gilydd.

"O no!" ochneidiodd Malcym wrth gerddad ar eu hôl: "Dowch yn ôl! Fwan!" ac yna dechreuodd redeg: "Dowch yn ôl! ... Plis?"

Golchi'r badall ffrio oedd Marian pan welodd y defaid a'r ŵyn i gyd wedi rhusio i ben pella'r cae.

"Ma 'na rwbath wedi dychryn y defaid," meddai Marian yn bryderus.

"Blaidd ydio," meddai Ifor.

"Blaidd?"

"Ia, blaidd mewn croen oen!"

"Reit," meddai Marian gan dynnu ei ffedog. "Dwi'n mynd â chdi i'r hosbitol 'na rwan!"

Doedd Ifor ddim hannar da ers tro byd. Roedd hynny'n amlwg. Roedd o'n mynd yn fwy llesg bob cam nes teimlai Marian erbyn hyn ei fod o'n treulio mwy o'i amsar yn rowlio mewn poen ar y llawr nag oedd o'n rhodio'n iach ar ei draed. Roedd hitha wedi lladd ei hun yn trio'i helpu trwy'r gwanwyn a rwan roedd hi'n llyncu pils haearn fel peiriant pres i drio dod â'r lliw yn ôl i'w bocha. Biwrocratiaid! Rheiny oedd ar fai! Rheiny oedd achos pob tyndra, pob gwewyr meddwl a diflastod a'r rheiny oedd wedi gwthio'i gŵr 'dat ymyl eitha'r dibyn. Ond doedd ei greithio'n feddyliol ddim yn ddigon ganddyn nhw. Roedda nhw wedi ei gloffi'n gorfforol hefyd!

"Gangrin gei di! Ac mi fydd yn rhaid i chdi ei thorri hi i ffwr'!" gwaeddodd Marian pan gurodd rhywun ar y drws.

"Musus Huws? Fi sy 'ma. Malcym!"

"O," meddai Marian gan drio gwenu. Ond methodd.

"Ydi Mistyf Huws yn tŷ?"

"Dwi allan!" gwaeddodd Ifor.

"Tyrd i mewn," meddai Marian yn ddiplomataidd.

"'Sa chi'n meindio 'swn i'n ca'l diod o ddŵr, Musus Huws?
Dw i 'di bod yn fhedag fownd a fownd y cae yn tfio cyfi'f
defaid ond foedda nhw'n mynd i bob man."

"'Sa chditha wedi dŵad yma ddau, dri mis yn ôl pan
oeddan nhw i gyd yn y sied mi fasa chdi wedi gallu eu cyfri
nhw i gyd mewn chwartar awr," meddai Ifor.

"O, na 'swn i'm 'di gallu dŵad 'radag honno 'chi, Mustyf
Huws achos o'ni'n sâl d'on," eglurodd Malcym.

"O tewch, be oedd yn bod arna chi?" gofynnodd Marian
yn famol.

"O, Fepetetif Stfain Injyfi neu fedieshiyn o wfth y compiwtaf.
Dydyn nhw ddim yn siŵf iawn a dydw inna ddim yn siŵf iawn
chwaith. Ond dydw i ddim yn teimlo'n iawn chi Musus Huws a
dydi gweithio hefo compiwtafs tfw dydd ddim yn lles."

"Be tishio?" gofynnodd Ifor gan dynnu ar rêl yr Aga i
godi'i hun ar 'i draed.

"Wel, 'da chi'n gwbod y defaid 'de, Mustyf Huws. Dydyn
nhw ddim wedi callio dim nac'dyn achos dydyn nhw ddim yn
afos yn llonydd. O'dd fi'n meddwl y basa nhw wedi dofi efbyn
hyn," meddai Malcym gyda diflastod yn ei lais.

"Gyfris ti nhw 'ta?" gofynnodd Ifor.

"O naddo, doedda nhw ddim yn afos yn llonydd a nath y
ci ddim dŵad hefo fi. Ond dwi wedi cyfi'f fhei sydd yn y cae
'na'n fan'cw."

"Cae Dan Tŷ. O ia, ma 'na un ar ddeg o ddefaid yn fanno.
'Mond y rheiny sy ar ôl heb ddod ag ŵyn," meddai Ifor.

"Un af ddeg? Deuddag ges i," meddai Malcym.

"Wel, un ar ddeg sy 'na," mynnodd Ifor. "Dwi'n gwbod
achos gyfris i nhw ben bora."

"Wel, un deg dau ges i, a dw i'n saff o hynny Mistyf Huws achos dim ond newydd cyfi nhw ydw i," meddai Malcym yn benderfynol.

"Allan!!" meddai Ifor yn fygythiol gan hencian ar wib trw'r drws.

"Pwylla Ifor…!" mynnodd Marian. Ond dim ond llusgo'i goes ar 'i ôl i'r Cae Dan Tŷ ddaru Ifor ac nid hannar lladd Malcym yn y cowt fel yr ofnai.

Allan yn y cae roedd Ifor wedi cyfri'r defaid cyn i Malcym dynnu'i sbenglas allan o'i bocad.

"Un ar ddeg, fel dudis i," meddai Ifor.

"Pump, chwech, saith, wyth, naw, deg, un deg un… a… O ia! Dacw hi! Dacw hi'f llall yn fan'cw af ben clawdd. Deuddag! Ddudis i do. O'fi'n gwbod bo fi'n iawn," meddai Malcym yn hunangyfiawn a gwên fodlon ar ei wynab.

"Wela i 'run ddafad ar ben clawdd!" meddai Ifor mewn penbleth.

"'Sbiwch dfw'r sbenglas, Mustyf Huws. Ma' fo'n un da a ma 'na olwyn fach yn canol-"

"Dwi'n gwbod sut ma' iwshio sbenglas!" gwylltiodd Ifor.

A thra roedd Malcym yn taro'r cyfri i lawr ar ei glipbord roedd Ifor yn dal i chwilio am y ddafad golledig trwy'r sbenglas.

"'Da chi'n gallu gweld hi, Mustyf Huws?"

"Nadw."

"Dipyn bach i'f chwith. Feit yn y gongol. Af ben y clawdd yn fan'cw. 'Da chi'n gallu gweld hi fwan 'ta?"

"Wela i 'run **ddafad**. Ond mi wela i **lo Charolais** ar ben y clawdd yr ochor arall i'r ffens 'de!" meddai Ifor.

"**Llo Chafolais**?! Lle?"

Cipiodd Malcym y sbenglas ac ar ôl gwibio'n ôl a blaen

am hir fe lonyddodd ei llgada o'r diwadd ar y gongol ac ar y llo. Ac ar ôl sylweddoli na fyddai'r llo fyth yn troi'n ddafad, waeth pa mor hir y syllai arno, bu'n rhaid i Malcym gytuno mai un ar ddeg o ddefaid oedd yn y cae wedi'r cwbwl a nododd hynny ar ei glipbord.

Eisteddodd Ifor ar wal y cowt am funud i arbad ei ben-glin. Yna mwya sydyn, curodd ar ffenast y gegin a galw ar Marian. Fedrai o fyth ddibynnu ar fiwrocrat di-glem fel Malcym i gyfri ei ddefaid, a hwnnw newydd fethu cyfri cyn lleiad ag un ar ddeg ohonyn nhw yn y Cae Dan Tŷ! A dyna pam, er gwaetha'r ffaith fod ganddo waith 'dat ei glustia, y penderfynodd Ifor mai'r peth calla i neud er ei les o'i hun a'i ddefaid, oedd mynd i helpu'r biwrocrat i'w cyfri nhw.

Henciodd Ifor i'r cae, Malcym yn brasgamu ar ei ôl a Marian yn gwmwl du, blin yn y cefndir. Allai Ifor ddibynnu ar neb i neud affliw o ddim byd yn ei le ac eto roedd disgwyl iddo fo neud gwaith pawb arall a bod yn gyfrifol am glirio ar eu hôl nhw bob tro! Felly pan fyddai rhywun yn cerddad ar ei dir ac yn malu ei ffens neu ada'l giât yn 'gorad, y fo, Ifor fyddai'n gyfrifol am ei thrwshio a didoli'r anifeiliaid. A wedyn pan fyddai biwrocrat fel Malcym yn camgyfri ei ddefaid a deud fod ganddo lai nag oedd ar ei lyfra, Ifor a neb arall fyddai'n ca'l ei gosbi am hynny hefyd ac yn colli talp o'i gymorthdal. Felly er fod Ifor wedi gwastraffu darn da o'i fora'n barod yng nghwmni defaid, roedd hi'n amlwg erbyn hyn mai yng nghwmni defaid yr oedd o'n mynd i wastraffu'i bnawn hefyd!

Roedd hi'n Fai yr unfad ar bymthag, ar ôl gwanwyn hir a llafurus, a'r peth dwytha roedd Marian isio'i weld oedd dafad ac oen. A phe byddai Malcym wedi gorfod codi'n nos i fugeilio a thynnu ŵyn a thrio bod yn bob dim, o borthwr a charthwr i ffariar a gweithiwr cymdeithasol mi fasa fynta hefyd, erbyn hyn, yn fwy na bodlon i ada'l llonydd iddyn nhw bori'n braf ar y caea yn lle'u **haflonyddu** fel hyn!

Prysurodd Marian ar ôl Ifor a Malcym ar draws y cae. Roedd Ifor yn hencian ymhell ar y blaen, yn chwibanu a rhegi ar Gel, a Malcym yn cerddad yn hamddenol fel jiraff ar ei ôl, yn mwynhau'r awyr iach.

"Cant dau ddeg sydd i fod yn y cae yma," meddai Ifor.

"Job fi ydi cyfi, Mustyf Huws," blinciodd Malcym yn bwyllog.

Pobol yn ca'l cyflog am **gyfri** defaid! Eu cyfri nhw i fynd i gysgu fydda pobol ers talwm...! Mi fasa nhaid yn troi'n 'i fedd, meddyliodd Ifor gan ysgwyd ei ben mewn anghrediniaeth.

Ac ar ôl bod wrthi'n cyfri am gryn hannar awr a Marian yn troi'i bodia'n un pen o'r cae ac Ifor yn y pen arall, fe gytunodd Malcym, o'r diwedd, mai cant dau ddeg o ddefaid oedd yno.

Wrth gerdded i'r pedwerydd cae a phetha'n mynd yn ddigon esmwyth dechreuodd Malcym drafod pêl-droed a'r tywydd. Ond roedd meddwl Ifor ar orffan a cha'l cefn Malcym cyn cinio...! Doedd y cwbwl yn ddim byd ond gwastraff amsar llwyr iddo. Roedd o'n gwbod yn union faint o ddefaid oedd ym mhob cae a faint o ŵyn hefyd o ran hynny, oherwydd roedd o'n cerddad o'u hamgylch nhw ddwy waith y dydd, bob dydd. A dyma fo, roedd o'n mynd o'u hamgylch nhw rwan am y trydydd tro heddiw a hitha ddim yn hannar dydd eto! Gollyngodd rech.

"Wyth deg saith sy'na," meddai Ifor ar 'i ben.

"Un, dau, tfi, pedwar... Sefwch chi yn fan'na Musus Huws," meddai Malcym a'i freichia melin wynt yn chwifio i bob cyfeiriad fel plisman traffig.

Ac ufuddhaodd Marian, dim ond er mwyn iddi gael mynd o'no'n gynt. Roedd ganddi betha amgenach o lawar i'w

gneud na sefyll yng nghanol cae yn smalio bod yn gi defaid.
A doedd gwingo'n ei groen wrth edrach ar Malcym yn gneud
smonach llwyr o gyfri'i ddefaid ddim yn gneud tama'd o les i
bwysadd gwaed ei gŵr, 'chwaith.

"Wyth deg chwech ia, Mistyf Huws?"

"Naci wyth deg saith," meddai Ifor yn ddifynadd.

"O, well i fi gyfi nhw **un** waith eto 'ta," meddai Malcym
gan chwibanu ar Marian i rowndio'r defaid.

Ac ar ôl edrach draw, ysgwyd ei phen ac ochneidio'n flin,
closiodd Marian at y defaid a dechreuodd Malcym eu cyfri
unwaith eto.

"Un, dau, tfi, pedwaf, pump..."

Gwasgodd Ifor ei ddannadd yn dynn, dynn nid i atal y
boen yn 'i goes y tro hwn ond i atal y Niagara Falls o
regfeydd, oedd yn croni'n ei geg, rhag torri allan yn un
llifeiriant ymosodol a boddi Malcym yn rhyferthwy!
Gollyngodd rech.

"Wyth deg saith! Run fath â chi tfo yma, Mustyf Huws,"
meddai Malcym yn falch ohono'i hun fel 'tae o wedi cael y
jac-pot ar y cynnig cynta.

Ond os oedd Malcym yn falch roedd Marian ac Ifor yn
falchach fyth oherwydd roedda nhw gam yn nes at ga'l mynd
yn ôl at eu gwaith.

Erbyn y cae ola' ond un, roedd rhifo Malcym wedi
gwella'n arw a llwyddodd i ga'l y cyfanswm yn gywir unwaith
eto, a hynny ar y cynnig cynta.

Ond wrth gerddad i'r cae ola' gwelodd Ifor ddafad ar ei
hochr a dau oen bach yn swatio'n ei hymyl.

"Faint sy i fod yn fan'ma, Mustyf Huws?" gofynnodd
Malcym.

"Cant tri deg **oedd** yma," meddai Ifor "Ond ma 'na un yn
llai rwan! Stagars, ma'n siŵr... Roedd hi'n iawn ben bora.

Blydi fusutors...!" bytheiriodd Ifor dan ei wynt wrth hencian at y ddafad.

Ond roedd Malcym wedi dechra cyfri :

"... dau ddeg tfi, dau ddeg pedwaf... Cant dau ddeg saith, cant dau ddeg wyth, cant dau ddeg naw, cant tri deg... Cant tri deg ia, Mistyf Huws? O wps! Naci! **Meinys** honna sy 'di mafw 'de," meddai'n ddoeth.

"Ia, ond mae hi dal yn y cyfri achos **newydd** farw ma' hi," meddai Ifor.

Ond ddaru Malcym ddim atab, dim ond troi 'i ben draw yn sydyn a gofyn i Ifor fasa fo'n gallu cau ei llgada hi.

"Dyna ni felly! Dim ond gweld y llyfa mwfment a medisin gynno chi eto, Mistyf Huws a 'na'i ada'l llonydd i chi ga'l claddu'r ddafad wedyn," meddai gan deimlo ei fod bron â dod i ben â diwrnod da o waith. Ac roedd o'n edrach ymlaen i gael gyrru'n ôl i'r Swyddfa yn ei Golff glas, yr awel yn ei wallt a "Bod yn Rhydd" Dafydd Iwan yn canu'n ei glustia.

Cariodd Marian yr ŵyn amddifad, un o dan bob cesail, yn ôl i'r buarth er iddi ofni hannar ffordd ar draws y cae, y byddai'n rhaid iddi roi'r ddau oen i Malcym a hitha gario Ifor ar ei chefn, ar ôl i'w ben-glin gloi'n ddirybudd eto.

"'Na'i mo'ch cadw chi'n hif, Mistyf Huws," meddai Malcym.

Ond ddudodd Ifor ddim byd dim ond deud wrth Marian am ddangos y llyfra iddo fo'n y tŷ. Roedd o am drio rhoi un o'r ŵyn amddifad i'r hesbin honno gollodd ei hoen ben bora.

"Dyna chi'r llyfra!" meddai Marian gan eu taflu o dan ei drwyn ar fwrdd y gegin. Rhywun isio panad?" gofynnodd wedyn.

"**Tfi siwgwf plis**, Musus Huws. Ma'f cyfi defaid ma'n waith blinedig iawn tydi!"

Tasa ti wedi bod yn ymlafnio hefo nhw trwy'r gwanwyn mi fasa ti'n gwbod be fasa blindar... Mi fasa ti ar dy linia...!

meddyliodd Marian wrthi hun.

A phan henciodd Ifor i'r tŷ ymhen rhyw hannar awr roedd Malcym yn dal wrth fwrdd y gegin ac ar ei ail banad o de. Ac meddai Marian:

"Ma'r llyfra ffisig a symudiada i gyd yn iawn, yn tydyn, Malcym."

"O ydyn, pob dim yp-tw-dêt, Mistyf Huws. Ond ma' gynno ni un bfoblam fach yn does…"

"Be?" gofynnodd Marian mewn syndod llwyr.

"Wel, ma 'na 680 o ddefaid af ych 'claim ffofm' chi ond dim ond 679 nath fi gyfri yma heddiw 'de," meddai'n awdurdodol.

"Ia, ond 680 oedd gin i ar y pymthegfad o Fai," meddai Ifor.

"Naci, Mistyf Huws, ma 'na un wedi mafw."

"Do, dwi'n gwbod. Ac mi fydd gin inna ddau oen llwath rwan, 'sna gymrith yr hesbin 'na un, a dyn â ŵ'r be 'na i hefo'r llall…! Be ydi dy gêm di?" gofynnodd Ifor yn flin.

"Ia, ond y dfefn ydi, Mustyf Huws, bo chi'n fod i fipoftio bob un ddafad sy'n mafw rhwng y pedwefydd o Chwefof a Mai un deg pump a wedyn ei fipleshio hi cyn hannaf nos af Mai yf un deg pump os yda chi am glemio sybsidi afni, de."

"Dwi'n dallt y rheola Malcym! Ond trio deud wrtha chdi ydw i mai **newydd** farw ma'r ddafad ac os ydi hi wedi marw ar ôl hannar nos ar y pymthegfad o Fai ma' hi'n ca'l ei chyfri yn y cais, tydi."

"Ond dyda chi ddim wedi ei fiplesio hi na'dach, Mistyf Huws."

"Ma'r cyfnod cadw wedi dod i ben ers hannar nos **neithiwr**, Malcym!"

"Ia, ond fedfa ni ddim deud pfyd yn union ddafu hi fafw'n na'dfan, Mistyf Huws."

"Fy ngwlad!" bloeddiodd Marian. "Peidiwch â bod mor hurt, ddyn! Ma' hi'n hollol amlwg mai newydd farw ma'r ddafad! Ma' hi dal yn gynnas!"

"Esgus! Wn i'n iawn. Dydi hyn yn ddim byd ond esgus arall, na'di. Esgus i beidio talu. Mi eith 'n cais ni i waelod y twmpath rwan ac mi fyddwn ni'n disgw'l fisoedd am 'n cymorthdal, yn union 'run fath â 'da ni'n dal i ddisgw'l am 'n cymorthdal Buchod Sugno. Dwi 'di ca'l hen ddigon o gollad ar dy gownt di'n barod, washi!" gwaeddodd Ifor a gollyngodd rech ddrewllyd cyn mynd allan.

"Mistyf Huws?"

Ond roedd Ifor wedi mynd gan ada'l Marian ar ôl yn y gegin i ddal pen rheswm hefo Malcym.

"Malcym bach, 'da ni wedi bwydo, bugeilio, dipio, cneifio, marcio, doshio, injectio, trin traed, tendio, lapio gwlân heb sôn am borthi a bugeilio 680 o ddefaid am flwyddyn gyfa gron nes 'da ni'n dau ar 'n glinia. A 'da chi'n dŵad yma un pnawn ar yr unfad ar bymthag o Fai yn ych dillad glân a'ch dwylo meddal ac yn deud 'n bod ni'n twyllo hefo'r cyfri am nad yda chi'n fodlon derbyn mai heddiw farwodd y ddafad 'na. Fuodd hi farw, bron, dan ych trwyn chi ddyn!"

"Ah! Munud bach, Musus Huws! Dwi'n meddwl y medfa ni ddatfys y bfoblam yma!"

"Problam?! Does 'na'm problam. Y **chdi** ydi'r unig broblam wela i!" gwylltiodd Marian.

"**Post moftam**, Musus Huws! A 'sa chi'n ca'l llythyf ffafiaf i ddeud pfyd yn union ddafu hi fafw mi-"

"Post mortam? Ond mi gymrith post mortam wsnosa ac mi gostith ffortiwn i ni, ac i be? Dwi a chitha'n **gwbod** pryd farwodd y ddafad!" mynnodd Marian.

"Nadw, tydw i ddim Musus Huws. Ond dyna dwi'n dfio'i ddeud wftha chi. 'Sa chi'n ca'l llythyr ffafriaf mi fasa gynno ni

dystiolaeth goncfit wedyn basa, i ddeud pfyd yn union ddafu'f
ddafad fafw. Ac os ma' heddiw nath hi fafw mi fedfwn ni gafio
mlaen hefo'f 'claim' yn medfan. Ond os ma' ddoe nath hi fafw
mi fydd yn fhaid i ni ddal ych 'claim' chi'n ôl a mi-"

"Taaaaaaaaaaw!" sgrechiodd Marian yn fygythiol â'i
gwddw'n hir fel clagwydd.

Roedd ei gwaed yn berwi, ei llygaid bron â neidio allan o'i
phen a'r wythien lasdew honno fel pry-genwair ar ei harlais,
bron a byrstio. Doedd dim rhyfadd fod ei gŵr yn gorffwyllo.

"Dim ond gneud job fi ydw i, Musus Huws a 'swn i'm yn
gallu byw yn cfoen fi 'swn i'n ca'l cyflog fi am neud dim byd,"
meddai Malcym.

"Gneud dim byd?" Dechreuodd Marian chwerthin yn
afreolus. "Lle ma'n pres Buchod Sugno ni 'ta?! Mae o'n fod
yn y banc ers pedwar mis!" gwaeddodd Marian.

"O, peidiwch â poeni ma' fo'n siŵf o ddŵad 'chi," meddai
Malcym.

"Ond triwch weld **rheswm** ddyn! 'Da chi'n mynd i ddal 'n
pres defaid ni'n ôl rwan hefyd!"

"Mi faswn i'n licio'ch helpu chi Musus Huws, ond fheola
ydi fheola."

"Cer OOOOOOOOOOOOOOOOO' MA!" sgrechiodd Marian.

A phan sgrialodd Malcym i mewn i'w gar doedd Ifor ddim yn
siŵr iawn pwy oedd y person a welai yn bytheirio. Roedd o'n
swnio'n ddigon tebyg iddo fo'i hun. Na, doedd o 'rioed yn ei fyw
wedi gweld Marian wedi colli'i limpin fel hyn o'r blaen. Wedi'r
cwbl, roedd angan rwbath go ddifrifol i'w chythruddo hi.

"Driish i resymu hefo fo..." meddai Marian yn grynedig.

"Fedar o ddim rhesymu siŵr," meddai Ifor. "Compiwtar
ydio."

Dipio

Roedd pen Malcym yn hongian dros ymyl y cafn dipio a'i
freichia'n chwifio mor orffwyll â'i sgrechiada wrth i Ifor
fygwth ei daflu dros 'i ben i mewn iddo. Ond yna'n sydyn,
clodd ei ben-glin ac fel yr oedd Malcym ar fin disgyn i'r cafn,
cydiodd yng nghoes Ifor a'i dynnu ar ei ôl a daliodd Ifor ei
afa'l yn dynn, dynn yn y duvet wrth iddo lithro'n ara deg dros
erchwyn y gwely a thros 'i ben a'i glustia i mewn i'r cafn.

"Be ti'n neud?! Ty'd â'r dillad gwely'n ôl!" protestiodd
Marian yn flin cyn ychwanegu: "Yli, ma'n rhaid i chdi fynd i
weld rhywun hefo'r goes 'na!"

"Wel, fedrai'm mynd hebddi na'draf...," mwmliodd Ifor.

"Dwi'n mynd â chdi at doctor heddiw! Rwan!" gwylltiodd
Marian.

"Fedrai'm mynd rwan! Ma'n rhaid i mi ddipio'r defaid
neu mi fyddan wedi pryfedu!"

"Byddan, ti'n iawn," cytunodd Marian yn ddiymadferth ac
aeth allan i'w helpu i hel y defaid i mewn i'r gorlan.

'Sgwn i be ma nhw'n neud yn y Weinyddiaeth Amaeth 'na
rwan...? meddyliodd Ifor wrth daflu dafad ar ôl dafad i
mewn i'r cafn dipio.

Oedda nhw'n gneud rwbath o gwbwl tybad? A daeth
brawddeg Malcym i'w gof: "'Swn i'm yn gallu byw yn cfoen fi
'swn i'n ca'l cyflog fi am neud dim byd."

"Gneud dim byd!" chwarddodd Ifor.

Ca'l eu cyfloga am neud dim byd oedda nhw i gyd, y blydi lot ohonyn nhw! A thra roedda nhw'n cymryd dyddia, wsnosa, misoedd i basio papura o un i'r llall mewn swyddfeydd air conditioned roedd o'n chwys doman mewn dillad oel a welintons yn taflu chwe chant o ddefaid fesul un, ar ben 'i hun, i mewn i'r cafn dipio. Ac allai o ddim gohirio'r orchwyl neu mi fasa'r defaid yn ca'l eu bwyta'n fyw gan gynrhon! Rhechodd.

Roedd Ifor angan help. Roedd ei waith yn ddiaros ac roedd ynta â'i drwyn ar y maen ddydd a nos. Roedd o angan pâr o ddwylo ychwanegol ond allai o ddim fforddio i gyflogi neb. Allai o ddim fforddio cyflog iddo fo'i hun a Marian heb sôn am fedru cyflogi rhywun arall, a phrun bynnag roedd cyflogi yn fwy o faich nag o help ers blynyddoedd. Roedd cyflog a gwylia gweithwyr wedi cynyddu tra roedd eu horia gwaith wedi gostwng. Ond pe byddai Ifor yn gallu fforddio i gyflogi rhywun, fyddai o ddim yn ei weld o am draean dda o'r flwyddyn prun bynnag oherwydd fyddai o ddim yn gweithio ar benwythnosa, gwyliau banc, gwylia swyddogol na phob tro y byddai o'n teimlo'n sâl !

Ond dyna oedd drwg ffarmio roedd o'n broffesiwn gwahanol i bob un arall. Dyn yn trio ffrwyno byd natur oedd ffarmwr er mwyn bwydo pawb ac oherwydd ei ddibyniaeth lwyr ar fyd natur, y tymhora a'r tywydd doedd ganddo ddim amser na lle i fiwrocratiaeth. Doedd byd natur yn hidio dim am ryw galendr dynol, ei wylia banc a'i benwythnosa. Ond roedd hi'n dod yn fwy, fwy amlwg nad oedd y Llywodraeth yn hidio dim am ffermwyr chwaith oherwydd roedd hi wedi cynyddu eu costa nhw, wedi ei gneud hi'n amhosib iddyn nhw gyflogi neb, eu claddu nhw dan waith papur a'u rheoli nhw hefo compiwtar. Ac i be? I hwyluso mewnforio bwydydd rhad o dramor a'r rheiny wedi eu tyfu a'u cynhyrchu gan blant a llafur digyflog a 'run biwrocrat ar eu cyfyl?! Rhechodd.

Roedd Ifor dan straen ac roedd bob dim yn dechra mynd ar ei nerfa... yr holl fiwrocratiaeth... a'r dip...! Ac er ei fod o'n gwisgo'r gêr priodol ac wedi pasio'r arholiad a thalu am y drwydded i ga'l defnyddio'r dip organo phosphorous, roedd o'n dal i deimlo fel 'tae o'n diodda o'r ffliw bob tro y byddai'n dipio. Ond ffliw ai peidio, doedd ganddo ddim dewis ond dal ati i ddipio nes y byddai wedi gorffan achos doedd neb arall i neud y gwaith yn ei le.

Bu Ifor yn dipio trwy'r bora, bob yn ail â gwasgu'i ddannadd bob tro y byddai'i ben-glin yn cloi. A welodd o neb i siarad hefo fo 'chwaith dim ond Marian, a biciodd at giât y gorlan rhyw ddwywaith, dair i edrach os oedd o dal yn fyw. Ond roedd ganddo un cysur. O leia fyddai dim rhaid iddo fo boeni am ryw arolygwr dipio o'r Trading Standards yn dod draw i fysnesu a chwythu i lawr 'i war heddiw fel y byddan nhw ers talwm. Yn y cyfnod cyn BSE roedd ffermwyr, nad oedd yn dipio'u defaid ddwy waith y flwyddyn mewn dip organo phophorous (ac yn dal pen pob dafad o'r golwg yn y dip am funud cyfa) yn ca'l eu dirwyo'n anesgusodol. Ond ar ôl y cyfnod BSE daeth y swydd o arolygu dipio i ben am fod ogla'r dip yn rhy beryg i'r arolygwyr ac am nad oedd y Cynghora Sir isio dechra talu iawndal iddyn nhw. Felly fe ddyfeisio nhw swydd arall ar gyfar yr arolygwyr. Swydd brafiach a iachach o'r hannar. Roedda nhw'n arolygwyr **gwaredu dip** rwan ac yn dod rownd i neud yn siwr fod Ifor yn ca'l gwarad â'r gwenwyn mewn dull cyfrifol.

Llusgodd Ifor rhyw ddafad gre, styfnig at flaen y twb ond gwingodd honno'n benderfynol, ei daro'n ei ben-glin a denig yn ôl i ganol ei ffrindia. Gwasgodd Ifor ei ddannadd mewn poen cyn gollwng rheg a throi 'i gefn ar y defaid pengalad. A dal i riddfan, bob yn ail a gwasgu'i ddannadd yr oedd o pan waeddodd Marian:

"Ifor! Lladd-dy d'isio di ar y ffôn!"

"Lladd-dy...?! Be oedd yn bod rwan 'to?!" llusgodd Ifor ei goes ar ei ôl i'r tŷ. Roedd o newydd yrru hannar cant o ŵyn yno ddoe am na fedrai o sefyll ar ei ben-glin yn ddigon hir i'w gwerthu nhw'n y mart.

"Ia, be sy?" gofynnodd i rywun ar ben arall y ffôn. "... Bolia nhw'n fudur? ...Byth wedi'u lladd nhw? Ond ma nhw'n y Lladd-dy ers pnawn ddoe! Dwi'n dŵad yna rwan!" meddai'n gacwn gan sodro'r ffôn yn glec.

Ac ar ôl gollwng y defaid o'r gorlan-ddiferu i'r cae, tynnodd Ifor ei ddillad oel, golchi'i ddwylo a gweiddi ar Marian i neidio i mewn i'r car i'w ddreifio hannar can milltir i'r Lladd-dy.

"'Sa'n well o'r hannar taswn i wedi mynd â nhw i'r mart a mynd a chada'r hefo fi i isda arni!" meddai Ifor. "Mi faswn i wedi gorffan hefo nhw wedyn a cha'l 'y mhres ar y dwrnod! Yr ŵyn yn fudur?! Roedd y trelar a'r ŵyn yn berffaith lân pan adawo nhw Corsydd Mawr...!" rhesymodd Ifor hefo fo'i hun ar hyd y daith...

Ond tra roedd Ifor yn siarad hefo fo'i hun roedd meddwl Marian ar ei chypyrdda bwyd a sut i'w llenwi. Oedd ganddi boteli sôs coch 'ta dim ond sôs brown...? Marmaled a thunia bîns...? Oedd ganddi ddigon o fagia te...?

"Ffor'na! Chwith! Dde! Chwith!" gwaeddodd Ifor fel y daetho nhw i olwg y Lladd-dy.

Yna fel yr oedda nhw ar fin troi i mewn trwy'r giatia gwaeddodd Ifor:

"Dyna nhw'n ŵyn i'n fan'na! Yn y cae! A ma' nhw'n lân! Sbia! Ddudis i 'u bod nhw'n lân, do."

A baglodd Ifor allan o'r car cyn i'w wraig ga'l cyfla i barcio.

Arhosodd Marian yn y car i sgwennu ei rhestr siopa a diflannodd Ifor i mewn i'r Lladd-dy.

"Ah! Ifor, sut w't ti boi? 'Misio chdi boeni dim, ma'r ŵyn newydd ga'l eu lladd rwan," meddai Slei.

"Ond o'ni'n meddwl eu bod nhw'n fudur," meddai Ifor yn syn.

"Budur? Paid a palu! Nac oeddan, berffaith lân. Ŵyn da. 'Ffernols o ŵyn da," taniodd Slei ei sigaret yn hyderus.

"O. Ga' i weld eu pwysa nhw 'ta?" gofynnodd Ifor.

"Cei siwr, ty'd ar 'n ôl i."

Ac ar ôl i'r ddau gyrradd y swyddfa, rhwygodd Slei rhyw gonsartina o bapur o fol rhyw brintar a dechra'i ddarllan.

"Ŵyn da... ffernols o ŵyn da... amball un rhy dew ond grêds da ar y lleill bob un!" broliodd cyn pasio'r papur i Ifor.

"**Uffar o fois** yda chi'n Lladd-dy 'ma," meddai Ifor. "'Da chi'n gallu rhoi grêds a phwysa'r ŵyn i mi rwan **cyn** iddyn nhw ga'l eu lladd!"

"Y?!" Dechreuodd Slei dwitshian. "Dwi'm yn dallt be sgin ti rwan?"

"Dim 'n ŵyn i ydi rhein," meddai Ifor.

"Be?!" taflodd Slei ei sigaret.

"Dim 'n ŵyn i ydi rhein. Ma'n ŵyn i allan yn y cae. Dwi newydd eu gweld nhw!"

"Paid a palu! Nagw't siwr! W't?! Damia! Hogia'r blydi learage 'na eto! Dwi 'di warnio nhw o blaen, wsos yma! Diawlad blêr, 'di micshio ŵyn pawb...!" mwydrodd Slei wrth frasgamu a gweiddi a damio pawb oedd o fewn clyw.

Ac ar ôl ca'l dillad gwyn a chap mwslin dros ei ben a'i wallt dilynnodd Ifor Slei i mewn i stafall fawr i weld ei ŵyn o'i hun yn dod trwadd ar fachyn. A digon hawdd fydda i Ifor fynd ar goll yng nghanol y cotia gwynion achos roedd 'na fwy o'r rheiny yno nag oedd o ŵyn ar facha! Roedd rhai yn gweithio i'r MLC, rhai yn gweithio i'r Trading Standards, rhai yn gweithio i'r Food Standards Agency, rhai yn gweithio i'r Meat Hygiene Service a'r lleill yn gweithio i'r Lladd-dy. Ond y jôc oedd mai Ifor oedd yn talu eu cofloga nhw i gyd. Roedd yr archfarchnadoedd yn rhoi costa ar y Lladd-dy a'r Lladd-dy'n pentyrru'r costau i gyd ar Ifor. A leni am y tro cynta 'rioed roedd o wedi gorfod tagio clustia pob oen cyn eu gyrru nhw i'r Lladd-dy, er na welodd o 'run tag ar 'run carcas tra buodd o yno!

"Pryd yda chi'n darllan y tagia clustia 'ta?" gofynnodd Ifor.

"Darllan tagia?" gofynnodd Slei. "'Da ni'm yn sbio arnyn nhw. Ma' nhw'n mynd yn syth i'r sgip 'na'n fancw hefo penna'r ŵyn."

"Ti'n gwbod faint ma' bob tag plastig yn gostio i fi?" gofynnodd Ifor.

Ysgydwodd Slei 'i ben o ochr i ochr yn ddihidio.

"Pymthag blydi ceiniog!"

"Paid â'i deud nhw!" ochneidiodd mewn cydymdeimlad.

"Ond 'sgin i'm dewis. Ma'n rhaid i mi dagio clust pob oen neu chai'm eu gwerthu nhw! Ond pam yr holl gosta a thraffa'th? I be? Y?! I be?!" gofynnodd Ifor.

"Dw'm bo, 'sna'm point, nagoes," cododd Slei ei 'sgwydda.

"Rheola, rheola, rheola. Costa, costa, costa. Traffa'th, traffa'th, traffa'th i ddyn sy'n gweithio, gweithio, gweithio ac i be? I ddim byd…!" mwmliodd Ifor wrtho'i hun wrth fynd allan hefo'i bapur pwysa ac addewid y byddai'r tshec yn ei gyrradd trwy'r post ymhen pythefnos i dair wsos.

Dim ond tegwch oedd o isio, dyna'r oll. Tegwch i fedru ennill bywoliaeth heb orfod rhedag ar ôl rhywun o hyd ac o hyd. Teimlodd ei goesa'n gwegian odano. Roedd o'n chwys oer, bob yn ail a bod yn chwys doman, a'r chwys yn powlio i lawr ei dalcan. Doedd o ddim yn dda ers dyddia, wsnosa, misoedd, blynyddoedd... Doedd o'n ca'l dim iot o blesar yn 'i waith ac roedd o wedi blino rhedag. Rhedag ar ôl y tymhora, rhedag ar ôl rhyw waith papur a biwrocrat bob munud. Rhedag ar ôl defaid, rhedag ar ôl gwartheg... Roedd o'n teimlo'n giami, yn grog, yn gwla. Oedd o'n hel am ryw ffliw neu rwbath neu oedd y dip 'na'n dechra effeithio ar 'i iechyd o ...? Neu 'falla mai mewn stâd o sioc roedd o ar ôl sylweddoli cymaint o 'Drogod' oedd yn byw ar ei gefn o'n y Lladd-dy...! Doedd dim rhyfadd felly mai dim ond £1.45 y kilo oedd gwerth pob oen iddo ar ôl i bawb arall orffan tynnu ei gyflog ohono! Gollyngodd rech cyn llusgo'i hun at y car a disgyn yn glewt mewn llewyg!

Cododd Marian ei phen a sgrechiodd pan welodd gorff ar fonat y car.

"Ifor ti'n iawn?" gofynnodd, a chlywodd Ifor ei llais yn pellhau ac agosau am yn ail.

Ond ar ôl ei helpu i grafangio i mewn i'r car, a rhoi cegiad o ddŵr iddo o botel-llenwi-redietyr y car, daeth Ifor ato'i hun.

"Ydi dy ben-glin di'n brifo?" gofynnodd Marian.

"Nac'di," meddai Ifor a chysgodd yn sownd nes y stopiodd Marian y car yn maes parcio Ripoff lle 'roedd am nôl dipyn o negas. Ond y funud y diffoddodd hi'r injian:

"'Da ni adra?" deffrodd Ifor yn wyllt.

"Na'dan. 'Dwi isio negas a waeth i mi ga'l o'n fa'ma ddim, a finna'n pasio," meddai Marian.

"Bydd yn sydyn 'ta!" meddai Ifor yn flin. "Dwi isio mynd adra i orffan dipio."

"Ty'd i helpu 'ta!" meddai Marian.

A thra roedd Marian yn cario at y tryc roedd Ifor yn hencian ymhell y tu ôl iddi yn rhyfeddu'n gegagorad at anferthwch y sied ac yn amcanu'n 'i ben sawl cowlas oedd ei hyd a'i lled...! Cydiodd mewn potal lemonêd, ei hagor a rhoi clec iddi ar 'i dalcan a theimlo'n well cyn taflu'r botal wag i mewn i'r tryc. Ond tra roedd Marian yn chwilio am dunia bîns roedd Ifor wedi gyrru at y silffoedd cig ac yn pwyso ar y tryc i arbad ei ben-glin ddrwg.

"Chwe phunt y kilo am tshops oen!" gwichiodd Ifor dros y siop. Dim ond punt pedwar deg pump ceiniog (£1.45) gafodd o am ei ŵyn yn y Lladd-dy! A hynny ar ôl yr holl waith a llafur cariad: eu tynnu, eu bwydo, eu cadw'n iach, eu doshio, eu pwyso... Ond roedd rhein yn cael chwe phunt y kilo (£6) am y chops a'r oll roedda nhw wedi'i neud oedd rhoi'r pecyn ar y silff! Ifor oedd yn talu am gynhyrchu a marchnata'r cig. Roedd o'n talu'n flynyddol i ryw FAWL neu FABBL heb sôn am yr MLC oedd yn mynd ag arian oddi arno am gredio pob oen a werthai.

Ond chwe phunt (£6) am tshops oen?! a fynta'n ca'l dim ond punt pedwar deg pump ceiniog y kilo (£1.45)! Roedd **rhywun yn rwla** yn gneud elw afresymol ar werthiant cig oen ond dim Ifor oedd o ac roedd o isio gair hefo'r Rheolwr!

"Helo, shw mai! Beth alla i wneid i'ch helpi chi Mr-?"

"Huws, Corsydd Mawr. Isio gwbod ydw i sut yda chi'n gallu codi chwe phunt pedwar deg chwech ceiniog y kilo (£6.46) am tshops oen pan nad ydi ffarmwr fel fi yn cael dim ond punt pedwar deg pump y kilo (£1.45) am yr oen i gyd?"

"O, coste, coste Mr Hughes... paco, marchnata... chi'n gwybod."

"Y fi sy'n talu am ei farchnata fo i ddechra arni. Odd' arna fi ma'r MLC a'r cynllunia Farm Assured yn mynd â pres, dim odd'arna chdi!"

"O, nage, nage Mr Hughes rydyn ni'n gwerthu llawer iawn o gig," eglurodd y dyn "ac mae hynny'n lles i chithe."

"Ydi, tasa chi'n talu pris teg i mi amdano fo! Ond tyda chi ddim na'dach ac yn waeth na hynny 'da chi'n mewnforio peth rhad o dramor dim ond i ostwng pris y cig oen dwi'n gorfod ei gynhyrchu'n bwrpasol i'ch siwtio chi!"

"Ie, ond... ond ma'r packaging yn ddrud ofnadw...! A ni'n gorfod talu i'r ty-lladd am ei baco fe, ch'weld."

"Paid â malu cachu! Y Lladd-dy sy'n talu am ei bacio fo, neu fi yn y pen draw! Felly sut wti'n gallu codi gymaint am y cig sy ar dy silffoedd di, dyna dw isio'i wbod?!"

Erbyn hyn roedd cynulleidfa o bobol hefo thrycia llawn a chega gweigion wedi dechra crynhoi o amgylch Ifor a'r Rheolwr.

"A dyna i chi beth arall liciwn i 'i wbod ydi, lle ma'n oen i?"

"Eich oen chi?"

"Ia, dwi'n talu i gynllunia ffarm ashiward, dwi'n gwario cannoedd o bunnoedd ar brynu tagia a thagio gwartheg, bustych, heffrod, lloua, defaid ac ŵyn heb sôn am dalu costa iechyd a glendid ac archwiliada mewn Lladd-dy, a'r cwbwl er mwyn ca'l olrheinedd. Rwan, dw i yma yn eich siop chi, a dw i am roi hyn i gyd ar brawf i weld os oes 'na bwrpas o gwbwl i'r gybolfa i gyd. Dw isio i chi ddeud wrtha i o lle ma'r cig oen yma wedi dŵad. A stwffiodd y pacad o dan drwyn y Rheolwr chwyslyd.

"Ond... y... wel, ma' fe'n dweud ar y pecyn. Ma' fe wedi dod o'r Undeb Ewropeaidd. Dyma fe'n fan hyn 'drychwch:

73

'E.U.' "

"Na'di, na'di, dydio ddim yn deud o lle mae o wedi dŵad. Deud 'i fod o wedi ca'l 'i **bacio** yn yr Undeb Ewropeaidd mae o."

"Ie, ond o Ewrop **ma** fe'n dod," mynnodd y dyn.

"Pa ffarm?" gofynnodd Ifor.

"Chi moin ei brynu fe?"

"Na'dw, coes oen s'arna i isio, coes oen un o'r ŵyn werthis i wsos dwytha i'r Lladd-dy sy'n eich cyflenwi chi, rhif tag 33 a mi grediodd yn U3L."

"Pardwn?"

"Wel, dyna holl bwynt yr olrheinedd 'ma ia ddim? I gael gwbod yn union o lle ma' pob darn o gig wedi dŵad?"

"Ie ond-"

"**Lle** mae o?!"

"Wel,"

"Ond a deud y gwir wrtha chi, mi fasa'n llawn callach i mi brynu coesa'r ŵyn ges i leia amdanyn nhw'n basa. Yr oen ges i bunt tri deg pump y kilo (£1.35) amdano fo a grêd E5L a'r oen ges i bunt a phump ceiniog y kilo (£1.05) amdano fo a gred R5L."

"O na, so i'n galler gwneid hynna, Mr Hughes..."

"Na fedrwch, dwi'n gwbod achos does na'm **grêds** ar gyfyl y cig sy ar eich **silffoedd chi** nagoes! Felly be ydi'r pwynt gredio yn y Lladd-dy?! I chi ga'l talu llai i ffarmwrs fel fi amdano fo? A pham na ddangoswch chi ddau bris ar eich silffoedd? Y pris yda chi'n dalu i ffarmwr fel fi am 'y nghynnyrch a'r pris yda chi'n godi ar y cwsmar? Ma' nhw'n gneud yn Ffrainc. Ond newch chi 'mo hynny'n na newch achos mi fasa fo'n dangos mor **ddig'wilydd** 'da chi'n codi crocbris ar eich cwsmeriaid, a mor **ddidrugaradd** 'da chi'n gwasgu'ch cynhyrchwyr!

A dyna chi'r cig bîff 'ma. Faint yda chi'n godi am hwn? Ac o lle mae o'n dŵad? O lle bynnag gewch chi o rata ma' siŵr, a dim Cymru ydi fanno wrth reswm, am fod yr holl gosta biwrocrataidd 'na ar ein cefna ni, a fedar o ddim bod yn rhad iawn wedyn na fedar? A faint o hwn sy dros ddeg mis ar hugian sgwn i? A faint sy heb dynnu'r llinyn arian? A faint sy wedi ca'l ei drochi mewn OPs a faint sydd wedi ei fagu ar 'bone meal' ac o ba ffarm mae o wedi dŵad ac o ba wlad hefo clwy traed a'r gena? A sut yda chi'n ca'l stampio cig oen o Loegar hefo stamp cig oen Cymru? Twyllo, twyllo, twyllo! Twyllwrs! Dyna be yda chi i gyd. Twyllo pawb a phob dim i ddim byd ond i wasgu ffarmwrs a gorfodi cwsmeriaid i dalu crocbris am fw------yd!"

Llusgwyd Ifor allan o'r siop gan bedwar o lafna ysgafn a dwy ddynas gegog. Ond fel y dudodd o wrthyn nhw roedd o'n falch dros ben o ga'l mynd! Doedd y lle'n ddim byd ond ogof lladron! A fuodd 'na 'rioed enw mwy addas ar siop werthu bwyd enfawr nag 'archfarchnad' achos trwy 'brynu'r' lladd-dai y llwyddodd rhein i roi'r hoelan ddwytha yn **arch** y **farchnad dda-byw** a diwadd ar bris teg i ffarmwr am ei gynnyrch.

Ond cyn i Marian ga'l cyfla i droi trwyn y car am adra gorfododd Ifor hi i fynd rownd y rownd-a-bowt am yr eildro a mynd ar ei phen i Swyddfa'r Ministri. Wedi dod cyn bellad doedd waeth iddo ladd dau dderyn ag un ergyd ddim. Gollyngodd rech.

"Dwi isio gwbod be sy 'di digwydd i'n Sheep Special Premiun i a pam dwi byth wedi ca'l 'y mhres Beef Special Premium, Suckler Cow nac E.S.A!"

Roedd ei restr yn ymestyn...!

Ac ar ôl parcio ar y ddwy linell felan dew, am nad oedd

nunlla arall i barcio, henciodd Ifor o'r car a chwys yn powlio fel marblis odd'ar ei dalcan.

"Ti'n teimlo'n iawn?" gofynnodd Marian gan brysuro'n bryderus ar ei ôl.

"Mi fydda i'n well ar ôl ca'l gafa'l ar y Malcym 'na!" chwyrnodd Ifor gan sychu 'i dalcan hefo cefn ei law.

A phan agorodd y drws o'i flaen fel yr oedd ar fin ei wthio, pwy welodd yn diflannu i mewn i'r lifft ond cynffon Malcym!

"'Nei di'm denig mor hawdd â hynna washi!" gwaeddodd Ifor gan ddeifio amdano.

"Ifor!" gwaeddodd Marian.

Ond caeodd drysa'r lifft ar Ifor a hwnnw'n hongian fel epa ar gefn y polyn lein oedd wedi dechra sigo o dan ei bwysa.

"Ifor!!" gwaeddodd Marian heb allu gneud dim byd ond dilyn rhifa coch y lifft wrth iddyn nhw fynd i fyny ac yna'n ôl i lawr.

A phan agorodd y drysa roedd Ifor wedi sychu'r chwys odd'ar 'i dalcan ac wrthi'n sythu'i grysbas.

"Lle ma Malcym?" gofynnodd Marian â'i llygaid yn fawr.

"Dim fo oedd o," chwyrnodd Ifor wrth hencian allan o'r lifft.

A phan glywodd Malcym, oedd yn sefyll y tu ôl i'r cowntar, lais bygythiol Ifor yn nesu, fe ddyciodd.

"Ond mi ga' i hyd iddo fo!" sgyrnygodd yn benderfynol wrth hencian at y cowntar Tsieinis yn y gongol.

"Malcym! Lle w'ti?!" gwaeddodd Ifor dros y lle gan golbio'r cowntar hefo'i ddwrn.

"O, mam bach!" stwffiodd Malcym ei ddyrna i'w geg.

"Bobol annw'l dad, be sy'n bod?" gofynnodd rhyw ddynas fach ganol oed, gron a ddaeth i'r golwg o rwla'n y cefn.

"Malcym Parri. Lle mae o? Dw i isio gair hefo fo rwan, os gwelwch yn dda," meddai Ifor yn glir fel cloch.

"Ga i ofyn ynglŷn â be, Mr…?"

"Isio gair hefo'r **mul** ynglŷn â mhres defaid a buchod magu, IACS ac E.S.A. ydw i. Dwi isio gwbod lle ma nhw!"

A gyda phob ergyd ar ben y cowntar roedd calon Malcym yn colli curiad o'dano ac roedd o'n chwysu fel mochyn ac roedd pen-glin y ddynas bron â bod yn ei drwyn.

"Rhif ych daliad chi, Mr…?"

"Huws, Corsydd Mawr 53/35/13"

"Â'i i tshecio i chi rwan."

A thra roedd Ifor yn sychu'i dalcan bob yn ail a theimlo'n benysgafn roedd Malcym yn ei gwrcwd o dan y cowntar â'i galon yn drybowndian yn ei ben.

"Dw i 'di methu ffendio Malcym Parri. 'Sna neb yn gwbod lle mae o," meddai'r ddynas pan ddychwelodd. "Ond ma'ch cais chi wrthi'n cael ei brosesu, Mr Huws ac mi ddylsa chi dderbyn y tshec ymhen rhyw bythefnos. Iawn?"

"Hahahahahahahahaha!" chwarddodd Ifor dros y lle gan ysgwyd ei ben o ochor i ochor mewn anobaith." Sawl gwaith dwi 'di clwad hynna o'r blaen: MI FYDD Y TSHEC YN POST I CHI MUNUD FYDDA NI WEDI EI PHROSESU HI…?! Hahahahaha! O wel, dria i ddeud hynna wrth y ffariar, y CoOp, y boi digar a'r gynffon i gyd…! Mi fydd y tshec yn post i chi munud fydda ni wedi ei phrosesu hi…," treuliodd Ifor eiria'r ddynas am yr eildro cyn ychwanegu: "Wel, well i minna'i throi hi am adra rwan i orffan **prosesu'r** defaid 'na sydd angan eu dipio neu mi fyddan wedi pryfedu a marw!" meddai gan chwerthin yn dawelach y tro hwn wrth i Marian ei annog allan i'r awyr iach.

77

Ar ôl cyrradd adra aeth Ifor yn syth i'r gorlan lle taflodd ddafad ar ôl dafad i mewn i'r cafn dipio, bob yn ail a gwingo mewn poen. Ac wrthi'n damio rhyw ddafad a gwasgu'i ddannadd i ladd y boen yr oedd o pan glywodd lais y tu ôl iddo:

"Treding Standyds ia!"

"Y?"

"Wedi dŵad i gweld lle ti'n mynd i gwagio'r stwff 'ma dwi, ia."

"Dwi'm 'di gorffan dipio eto. Ond ma' croeso i chdi ddwad yma i'n helpu fi," meddai Ifor.

Ond ar ôl cymryd un olwg ar y dyn gwargam, cloff a'i wynab a'i grys yn sboncs o fudreddi, a chwys yn torri'n nentydd gwynion igam-ogam i lawr ei dalcan, bagiodd yr hogyn dillad Reebok yn ôl gan ysgwyd 'i ben a deud:

"Dwi'n gorfod cychwyn 'nôl yn munud achos dwi'n clocio off am bump. Dduda i 'tha chdi be 'na i. Ddoi'n ôl fory ia-"

"Ty'd yn nes i chdi ga'l dipyn o'r ffiwms 'ma gynta," crachboerodd Ifor cyn taflu dafad debol arall dros 'i phen i'r twb.

"No wê! Sdwff na'n beryg bywyd, dydi. Nyrf gas 'dio 'de. Fuodd mêt fi yn Gylff Wôr ia, a mae o'n edrach yn uffernol. Mae o fath â hen ddyn a ma' fodan o 'di ada'l o am foi sy'n gwithio'n leshiyr sentyr. 'Swn i'm yn mynd yn agos at y sdwff 'na, ia!"

"Na finna o ddewis," meddai Ifor gan ofyn iddo'i hun sut yn y byd mawr oedd y fath sdwff yn ca'l ei ollwng o unrhyw labordy os oedd o mor beryglus i iechyd dyn ac anifail a'r amgylchedd...?

"Job iawn am compo 'dydi!" awgrymodd yr hogyn gan daflu ei ben at y twb.

"Y?"

"Ma 'na lot oedd yn gweithio'n department ni fel inspectors dipio 'stalwm, wedi trio siwio'r cownsil am bo' nhw wedi mynd yn sâl, ia. Ma 'na un boi, ma' hon yn classic ia, yn deud bod y ffarmwr 'ma wedi ei daflu fo i mewn i'r twb! Uffar o ges ia!"

"Pwy oedd o?" cododd Ifor ei glustia'n syth.

"O, dwi'm yn gwbod. 'Mond newydd ddechra gweithio yna ydw i, ia. Mae o'n gweithio i Ministri 'rwan dwi'n meddwl... uffar o foi od! Welai di fory. *Cheers* mêt!"

"**Malcym**....!" gwasgodd Ifor ei ddannadd cyn swingio'r ddafad, debyca welodd o 'rioed i Malcym, dros 'i phen a'i chlustia i mewn i'r twb.

Ysbyty

"P'run ddaeth gynta? Y ffarmwr 'ta'r biwrocrat?"

Dechreuodd Ifor chwysu'n rhaeadra... ac yna ar ôl pendroni a chrafu'i feddwl yn gignoeth atebodd:

"Y ffarmwr...?"

Ac wrth gwrs roedd o'n gywir.

"Yda chi'n siŵr? Yn berffaith siŵr?"

"Y... ydw. Y ffarmwr."

"A'ch ateb terfynol?"

"Y ffarmwr."

Ac ar ôl chwysu fel mochyn a rhoi'r atebion cywir bob tro roedd Ifor yn syllu ar filiyna o bunnoedd.

"A'r cwestiwn olaf, Ifor. Pa un o'r rhain sy'n gwbwl angenrheidiol, anhepgorol i'r diwydiant cynhyrchu bwyd: a) yr MLC? b) MAFF? c) yr Archfarchnadoedd? Ynteu ch) y ffarmwr? Peidiwch â rhuthro. Mae gennych chi ddigonedd o amser..."

Sychodd Ifor ei dalcen â chefn 'i law ac yna dan ei drwyn â chefn y llaw arall cyn atab:

"Ech.Y ffarmwr."

"Ech? Yda chi'n siŵr?"

"Ydw. Ech. Y ffarmwr ydi'r unig un cwbwl angenrheidiol, anhepgorol i'r diwydiant cynhyrchu bwyd," atebodd Ifor.

"Pe byddech chi wedi dewis a) sef yr MLC fe fyddech chi

wedi colli miliwn o bunnoedd. Pe byddech chi wedi dewis b) sef MAFF fe fyddech chi wedi colli miliwn o bynnoedd. Ond pe byddech chi wedi dewis c) sef yr archfarchnadoedd fel yr un sy'n gwbwl angenrheidiol, anhepgorol i'r diwydiant cynhyrchu bwyd fe fyddech chi wedi ENNILL miliwn o bunnoedd!"

Cyd-ochneidiodd y gynulleidfa mewn ton o dristwch a thoddodd Ifor yn bwll o chwys, a lifodd dros ymyl y gadair ddu a thrwy'r carpad a'r styllenod ac i lawr drwy'r concrid a'r pridd a'r suntur nes y diflannodd o'r golwg mewn twllwch myglyd lle daeth pry genwair mawr pinc i'w gyfarfod a deud:

"Anlwcus rwan If, ond ti'm 'di dallt, nagwt?! Archfarchnadoedd sy'n rhedag y wlad 'ma rwan 'sdi, 'sna ti 'di sylwi. Wel, yr archfarchnadoedd a'r llywodraeth law yn llaw 'ta, a tydyn nhw'm isio ffarmwrs fath â chdi. Felly sori'r hen foi!" Agorodd y pry genwair ei geg led y pen yn barod i'w lowcio.

"Ahhhhhhhh!" sgrechiodd Ifor yn orffwyll gan ymladd am ei wynt.

A phan redodd Marian i fyny'r grisia i'r llofft allai hi ddim credu ei llygaid. Roedd 'na rywun o dan y dillad! Roedd 'na rywun yn y gwely!

"Ifor?" arswydodd Marian gan rythu arno'n gegrwth. Ond be oedd o'n neud yn 'i wely? Doedd hi 'rioed wedi 'i weld o'n 'i wely ganol bora o'r blaen! Y fo oedd y cynta i godi bob bora yn ddi-feth, a fyddai Marian ddim yn 'i weld o wedyn tan wyth pan ddeuai i'r tŷ i nôl ei frecwast. Ond ddaeth o ddim i'r tŷ o gwbwl heddiw, a doedd dim byd yn anghyffredin yn hynny chwaith erbyn meddwl, achos roedd rwbath yn bosib pan oedd rhywun yn cyd-fyw a chydweithio hefo anifeiliaid. Felly pan glywodd Marian rhywun yn sgrechian yn y llofft doedd ganddi ddim syniad pwy oedd yno!

"Be ti'n neud yn dy wely?!" gofynnodd Marian.

"Dal y blydi pry genwar 'na 'de!" chwiliodd a chwalodd Ifor o dan ddillad y gwely.

"Paid â symud. Aros yn fan'na!" meddai Marian mewn dychryn cyn cau'r drws a mynd i ffonio'r meddyg.

A phan glywodd Ifor ddrws y llofft yn cau arno'n glep, atseiniodd y glec fel ergyd gwn dros y tŷ i gyd a theimlodd fel 'tae rhywun wedi cau caead ei arch arno. Caeodd ei llgada. Ond roedda nhw'n **mynnu** agor. Allai o ddim marw. Roedd ganddo ormod o waith i'w neud a neidiodd ar 'i draed cyn baglu'n chwil ar hyd a lled y llofft wrth wthio i mewn i'w ddillad.

"Fedra i ddŵad â fo i'r **syrjyri**? Fedra i ddŵad a fo i'r syrjyri?! Ond mae o'n 'i wely a mae o'n ddryslyd a ma'n siŵr fod gynno fo **wrês** mawr -"

A'r eiliad nesa baglodd Ifor i lawr y grisia a tharo'i ben yn erbyn y palis a mwmlian rwbath am fynd â phasports i'r lle Ministri...!

"Ddo' i â fo yna rwan !" meddai Marian cyn taflu'r ffôn yn ôl i'w lle.

Ac ar ôl llwytho Ifor i'r car rhedodd Marian yn ôl i'r tŷ i nôl pasports y bustych, oedd mewn carrier bag ar ben y dresal, yn barod i'w danfon i Swyddfa'r Ministri.

Doedd Marian ddim yn siŵr iawn be oedd wedi digwydd i Ifor. Doedd o ddim wedi bod yn iawn ers y gic honno gafodd o yn 'i ben-glin. Ond roedd o wedi gwaethygu bob dwrnod ers canol yr ha'... ar ôl iddo ddipio'r holl ddefaid 'na ar 'i ben 'i hun... Oedd â wnelo'r dip rwbath â'i salwch tybad...? Roedd o'n llesg, yn anghofus, yn fwy difynadd nag arfar, yn cwyno o gur pen ac yn cymryd ddwywaith cyn hirad i neud y petha arferol. Ond beth bynnag oedd yn bod arno, roedd hi'n hwyr glas iddo fynd i weld y meddyg a theimlodd Marian ryw ollyngdod o'r diwadd wrth ei ddanfon ato.

Penderfynodd Marian hebrwng Ifor i mewn i Dŷ'r Doctor, nid oherwydd ei simsanrwydd a'i gloffni ond am y gwyddai na fyddai ganddo syniad lle i fynd fel arall. Dim ond un waith 'rioed y buodd o yno o'r blaen a hynny bymthag mlynadd ynghynt i ga'l pwytha'n 'i ben. Ond roedd y meddygon, ers hynny, wedi symud eu stondin dros y ffordd ac i lawr y lôn o Dŷ'r Doctor i'r Feddygfa newydd.

"Nesa, plîs. At Doctor Huw Puw os gwelwch yn dda," galwodd y ddynas drwy'r twll sgwâr.

"Ty'd," meddai Marian.

Cododd ar ei thraed ac arwain Ifor at y drws.

"Fa'ma," meddai a'i wthio i mewn.

"Helo, sut yda chi?" gofynnodd y Meddyg heb godi'i ben oddi'ar y ddesg o'i flaen.

"Iawn, diolch yn fawr sut ydach chi?" gofynnodd Ifor.

"Iawn, diolch. Y...'rhoswch chi rwan... y... dydi'ch nodiada chi ddim o 'mlaen i... Dilys? Fedrwch chi ga'l nodiada... .y Mistar... y Mistar...?" edrychodd y doctor yn ymbilgar dros ei sbectol hannar lleuad ar Ifor.

"Huws, Corsydd Mawr 53/35/13."

"Enw cynta?" gofynnodd y Doctor.

"Ifor."

"Nodiadau Ifor Huws, Corsydd Mawr os gwelwch yn dda, Dilys." A chaeodd y peiriant siarad cyn i'r ddynas ga'l cyfla i ofyn mwy. "Rwan 'ta, Ifor, be sy'n eich poeni chi?"

"Y...," ond doedd Ifor ddim yn siŵr be oedd o'n neud yno na sut y daeth o yno... Y cyfan oedd o'n 'i gofio oedd Marian yn ei wthio trwy'r drws...."

"Sgynnoch chi boen yn rwla, Mistar Huws?"

Ac ar hynny daeth Dilys i mewn a chyhoeddi:

"Fedra i ddim ca'l gafa'l ar notes Mr Huws ma' arna i ofn. Dydyn nhw'm ar y compiwtar. Pryd fuo chi yma ddwytha, Mr Huws?"

"'Rioed. Fuos i'n Tŷ Doctor unwaith yn ca'l pwytha'n y mhen rhyw dro... dwi'm yn cofio pryd..."

"O. Â'i i chwilio trw'r cardia eto, 'ta. Ma'n rhaid nad ydio wedi'i roid ar y compiwtar felly," ochneidiodd Dilys.

"Ia, lle oedda ni rwan, Mistar Huws...?"

Taswn i wedi colli Cardyn 'Nabod Bustach mi faswn i'n ca'l y nghosbi. Mi fasa nhw'n mynd a 10% o nghymorthdal i odd'arna i'n syth...! meddyliodd Ifor wrtho'i hun. Ond doedd waeth iddo heb â deud hynny wrth hwn.

"Poen ganddo chi'n rwla, Mistar Huws...?"

"Y... oes... a cur yn 'y mhen... a dwi'n anghofio petha... dwi'n anghofio llenwi rhyw ffurflenni a dwi'n anghofio cadw llygad ar 'n stocking units a ma 'na gymaint o betha i gofio a rhyw bâr-côds a rhyw gardia a rhyw dagia a... dwi'n dechra meddwl mod i'n colli arna'n hun... a 'dwi'n ca'l breuddwydion rhyfadd... hunllefa weithia a wedyn dwi'n deffro i hunlla waeth a dwi'n boddi mewn môr o fiwrocratiaeth ac yn ymladd am 'y ngwynt... a dwi, dwi... dwi jyst 'di blino trw'r amsar... wedi blino ar y rwtsh i gyd. Ffarmwr ydw i dim blydi clerc a fedrai'm fforddio i gyflogi neb i weithio i mi achos dydi'r hyn dwi'n ga'l am 'y nghynnyrch ar ôl talu i'r 'Trogod' i gyd ddim yn cyfrio'r costa cynhyrchu. 'Sna'm sens yn ddim byd a ma' na gymaint o dâp coch mae o fel cwlwm cythra'l yn mygu pawb, pawb ond biwrocratiaid. Ma' rheiny i gyd ar gyfloga breision a gwylia bob munud a 'sdim rhyfadd bo' nhw'n gwenu cymaint nagoes?!" Gollyngodd rech.

"Mmm... Mi ro' i chi ar rhein i drio, Mistar Huws. Mi

ddylsa nhw'ch rilacsio chi ac mi gysgwch yn well," sgriblodd y Meddyg rwbath ar bapur gwyn cyn ei dorri a'i roi i Ifor.

"Iawn, diolch," meddai Ifor.

Ond fel yr oedd ar fin codi, cloddi ei ben-glin.

"Ah! 'Mhen-glin i!" griddfanodd mewn poen.

Ac ar ôl i'r Meddyg roi archwiliad brys iddo gofynnodd:

"Ers pryd yda chi'n diodda hefo'ch pen-glin?"

"Ers pan ges i gic gin ryw fustach llynadd," atebodd Ifor.

"Llynadd?! Dwi'n eich gyrru chi am "x ray" rwan, heddiw, Mr Huws!" rhuthrodd y Meddyg yn ôl i'w gadair i sgriblan.

"Heddiw?! Ond fedrai'm mynd heddiw! Ma'n rhaid i mi fynd â'r pasports bustych i'r lle Ministri."

Gwgodd y Meddyg arno a chytunodd Ifor. Erbyn meddwl doedd waeth iddo fynd heddiw ddim achos fedrai o ddim mynd drennydd ag ynta'n dechra ar y silwair.

A phan gyrhaeddodd Ifor a Marian yr ysbyty:

"Ma'n siŵr fod pawb o'r un feddwl ac am neud seilej dydd Iau…," meddyliodd Ifor wrtho'i hun achos roedd y 'stafall aros yn llawn dop!

Yn rhyfadd iawn roedd y lle'n ei atgoffa o Swyddfa'r Ministri. Lot yn cerddad yn ôl ac ymlaen, ymlaen ac yn ôl, drysa'n agor a chau, agor a chau ond y 'stafall aros yn gwagio dim. A'r eiliad nesa pwy gerddodd i mewn ond rhywun tebyg iawn i…

"Dwfnod neis, Mustyf Huws. O, a Musus Huws!" meddai Malcym gan drio gneud rhyw hen olwg lwath, wael arno'i hun.

"Malcym," cyfarchodd Marian o gan edrach yn syth yn 'i blaen.

"Be tisio **rwan**?" gofynnodd Ifor â'i waed yn berwi. "'Y **nghoes** i ar ôl iddyn nhw'i thorri hi i ffwr' ia? Ia?!"

"Argol 'da chi'n mynd i ga'l torri'ch coes i ffwrdd, Mistyf Huws?!" arswydodd Malcym.

"Nac ydi. Wedi dŵad i gael 'x ray' mae o," meddai Marian i fodloni chwilfrydedd pawb yn y lle.

"Ti'n dallt nad ydw i byth wedi ca'l 'y mhres Buchod Magu yn dwyt **a** dwi 'di colli 10% o'r Beef Special Premium a duw a ŵyr be sy'n mynd i ddigwydd i nghymorthdal defaid i. A faswn i ddim yn fa'ma rwan oni bai amdana chdi. Ond dyna fo, be 'di'r ots gin ti? Gei di dy **gyflog** 'run fath yn union a dy **fwyd** odd'ar silff , 'mond i chdi gyrra'dd amdano fo, yn cei?!"

A phan orffennodd Ifor roedd holl wyneba'r stafall aros, a'r nyrsus y tu ôl i'r cowntar, yn syllu'n syfrdan arno nes canodd rhyw ffôn yn rwla i lacio'r tyndra.

"O ma'n ddfwg gin i glwad, Mustyf Huws," meddai Malcym "Ond mi fedfa i sôn wfth Anti Moli, os liciwch chi. Ma' hi'n gweithio yn yf Adfan Defaid."

"Anti Moli ddudis di?"

"Ia, chwaef i mam Holly."

Ac edrychodd Ifor ar y llipryn llwyd oedd wedi achosi cymaint o helynt iddo. Yn wir, roedd hwn wedi difetha safon ei fywyd i'r fath radda yn ystod y flwyddyn ddwytha nes y daeth i bersonoli ei holl helbulon. Hwn oedd wedi llwyddo i atal ei gymorthdaliada i gyd. A hwn oedd newydd neud yn saff y byddai'i gais am gymorthdal defaid hefyd yn cael ei wthio i waelod y pentwr rwan. Ond yn waeth na dim, hwn oedd wedi 'i neud o'n gripil ac oni bai amdano fo fyddai o ddim yn yr ysbyty'r funud hon! Felly gan na fedrai Ifor lindagu Malcym yn y fan a'r lle a chael gwarad â'i rwystredigaetha i gyd, penderfynodd y byddai'n ei ddychryn trwy'i din ac allan, un waith ac am byth fel y câi ynta brofi be oedd ofn a gwewyr meddwl. Ac meddai gan bwyso ymlaen a sibrwd yn ei glust:

"Mi alwa i draw i weld dy Anti Moli di ar 'n ffordd adra. Ma' gin i syrpreis bach iddi'n y bag 'ma. Syrpreis bach iddyn nhw i gyd, 'ran hynny... Eith o i lawr fel **bom**!" gwenodd Ifor fel gwallgofddyn.

A dychrynodd Maclym gan lyncu'i boeri'n swnllyd!

"Wti'n gweithio'n rwla rwan?" gofynnodd Marian iddo.

"O, nadw. Dwi 'di gofod fhoi'f gofa i'f Ministfi achos nefa fi a-"

"Nerfa ddudis di?!" rhuthrodd Ifor.

"Ia, 'chi. Dwi 'di bod adfa'n sâl efs pedaif wsos," meddai Malcym.

"Ma' nghalon i'n gwaedu drosta chdi...!" meddai Ifor dan ei wynt.

"Ond 'sna neb yn gwbod be sy'n bod afna fi 'da chi'n gweld a ma' hynny'n waeth na bod yn sâl tydi, Mustyf Huws."

"Faswn i'm yn gwbod. 'Sgin i'm amsar i fod yn sâl," meddai Ifor.

"**W**ti'n sâl? Ti'n edrach yn iawn i mi," meddai Marian.

"O na, dwi 'di bod yn ca'l tests af lot fowf o betha 'chi, Musus Huws. A ma' nhw'n ama fwan bod mobeil ffôns wedi difetha'n fetinas i."

"O'ni'n meddwl mai lladd **brên sêls** oedd y rheiny," meddai Marian mewn penbleth.

"Gofyn bod gin ti **frên** cyn medar rwbath 'i ladd o tydi!" meddai Ifor.

"Ond ca'l testio gwaed fi ydw i heddiw a mynd i ga'l fesults y fepetetive stfain injyfi. O, a dwi'n fod i ga'l 'x ray' af cefn fi hefyd achos dwi'm yn gallu codi o gwely fi o gwbwl weithia 'chi."

"Ond sut wti'n gallu deud mai **fi** sy'n gyfrifol 'ta?" arthiodd Ifor.

"Nes i ddim, Mustyf Huws. Dwi'm yn gwbod pryd

ddechreuodd o," meddai Malcym.

"Ar ôl bod yn **dipio'n** Corsydd Mawr, ma'n siŵr, ia? Ia?" prociodd Ifor o.

Ond doedd gan Malcym ddim syniad am be roedd o'n sôn.

"Naci... af ôl dechfa gweithio hefo'f Ministfi dwi'n meddwl. A pan dwi'n gweithio o flaen y compiwtaf yn fhy hif ma' cefn fi'n mynd allan ohoni am bo fi'n yf un un posishiyn tfw'f amsaf."

A dyna pryd cofiodd Ifor am ei gefn. Ond wedyn, roedd o wedi cymryd yn ganiataol 'rioed fod cefn **pawb** oedd yn gweithio wastad yn brifo. Dyna pam roedd daearolion fel Malcym yn mynd dan ei groen. Trogod oedda nhw. Trogod yn byw ar gefn cymdeithas, yn sugno gwaed pawb arall oedd yn trio ennill bywoliaeth, yn trio byw. A dyma fo, roedd o wrthi eto, yn sugno gwaed yr NHS rwan heb sôn am drio ca'l **compo** ar gorn Ifor. A chyn iddo feddwl am ei ddeud o, roedd y gair wedi saethu allan o'i ena fel bwled:

"Trogan!" gwaeddodd a gollyngodd rech 'run pryd.

A distawodd y stafall fel diffodd switsh a throdd pawb ei ben i edrych ar Ifor unwaith eto fel 'tae'n diodda o nam rhegi afreolus. Ond torwyd ar y distawrwydd gan lais y Nyrs yn galw:

"Malcym Parri, os gwelwch yn dda?"

"Gobeithio y byddwch chi'n well, Mustyf Huws," meddai cyn pwyso ymlaen a gofyn i Ifor yn bryderus:

"Dyda chi'm yn mynd i'f Ministfi af ffofdd adfa na'dach, Mustyf Huws? Dim go wif, na'dach... achos d... dwi'm yn meddwl bod Anti Moli'n gweithio heddiw 'chi..."

"Waeth i ti heb. Stopith neb fi rwan. Ma' bob dim gin i'n barod yn y bag 'ma 'li. Dyna pam dwi 'di dŵad a fo hefo fi. Doedd fiw i mi 'i ada'l o'n car nagoedd...?"

"Malcym Parri?" galwodd y Nyrs unwaith eto mewn llais mwy difynadd y tro hwn.

A diflannodd Maclym ar ôl y Nyrs â chymysgadd o ddryswch ac ofn ar ei wynab. Oedd Ifor wir yn mynd i ada'l bom yn Swyddfa'r Ministri...?!

"Doedd o'm yn edrach yn sâl iawn i mi," meddai Marian. "Er mi ddaru droi'i liw jyst cyn iddo fo ada'l rwan, yn do...?"

"'Sna ddiawl o ddim byd yn bod ar 'i iechyd o siŵr! Methu gweld pwrpas i godi o'i wely mae o am mai job hollol ddibwrpas sgynno fo i fynd iddi!" rhechodd Ifor.

Ar ôl bod i mewn yn ca'l pelydr 'x' ar 'i ben-glin a disgwyl am hannar awr, oedd yn teimlo fel d'wrnod cyfa i Ifor, aeth draw i stafall aros arall i ga'l gair hefo rhyw feddyg mewn côt wen a sdiciodd lun o'i ben-glin i fyny ar wal o'i flaen, a'i oleuo.

"Wedi cael be ma' nhw'n alw'n 'buckle-handle tear' i gartlij eich pen-glin yda chi ac mi fydd yn rhaid i chi gael llawdriniaeth cyn y gallwch chi fod yn holliach," eglurodd yr Ymgynghorydd.

"Wel, fedra i ddim dŵad yma wsos nesa achos mi fydda i'n codi seilej," meddai Ifor ar 'i ben.

"O, peidiwch â phoeni Mr Huws, ma 'na restr aros o **flwyddyn** beth bynnag, os nad mwy," meddai'r Ymgynghorydd.

"Gormod o fiwrocratiaid eto a dim digon o feddygon, siŵr o fod...," meddyliodd Ifor wrtho'i hun.

"Ond os yda chi'n fodlon **talu** i fynd yn breifat mi gewch chi fynd fory," ychwanegodd.

"O."

Ond faint oedd hi'n gostio i drwshio pen-glin ac i ble'r oedd yr holl arian a dalodd o mor **brydlon** i'r national insurance ar hyd y blynyddoedd wedi mynd 'ta... heb sôn am y class 4 hwnnw wedyn a dynnid o'i incwm ar ddiwadd bob blwyddyn?

Henciodd Ifor o'r ysbyty yn falch o ga'l bod allan yn yr awyr iach unwaith eto ac roedd o'n teimlo'n well yn barod. Un, am ei fod o'n ca'l mynd adra a dau am iddo ga'l gwbod fod modd trwshio'i ben-glin.

Dim ond un peth arall oedd ganddo i'w neud eto. A hynny oedd galw'n Swyddfa'r Ministri ar y ffordd adra i roi'r pasports bustych dros y cowntar.

A phan gyrhaeddon nhw, parciodd Marian ar y ddwy linell felan ac aeth Ifor allan o'r car a'r pasports yn y bag plastig o dan ei gesail. Ac fel yr oedd o'n mynd i wthio'r drysa, agorodd y ddau o'i flaen fel y Môr Coch, a cherddodd i mewn. Yna fel yr oedd ar fin cyrradd y cowntar gwthiodd ei law i mewn i'r carrier bag i dynnu'r pasports allan.

"Hands yp!" gwaeddodd rhywun ac yna clywodd resiad o gliciada'n ca'l eu tynnu'n ôl yn barod i saethu.

"Blydi hel!" meddai Ifor mewn dychryn.

"Rhowch eich breichiau yn yr awyr a'r carrier bag ar y llawr!"

"Be uffar... nesa...?!" meddai Ifor wrtho'i hun.

Ond wrth iddo blygu i lawr clodd ei ben-glin.

Yn y fan cofiodd Marian fod llythyra'r bora hwnnw ganddi yn y bocad flaen, a phlygodd i'w tynnu allan, a'u hagor ar ei harffad. Amlenni brown, amlenni gwyn ac un amlen wen a llun arni'n gofyn am arian i blant newynog yn y Trydydd Byd.

"Plant newynog?!" cynddeiriogodd Marian, "Ag Ifor yn ca'l 'i gyhuddo o or-gynhyrchu bwyd!"

Doedd y peth ddim yn gneud synnwyr! Os oedd Ifor yn gor-gynhyrchu bwyd pam oedd angan mewnforio mwy o gynnyrch amaethyddol o'r Trydydd Byd 'ta? A pham dwyn bwyd odd' ar yr union bobol oedd fwya'i angan o a'i werthu'n rhad i bobol er'ill oedd yn byw mewn llawndar ac yn llond eu crwyn?! Ond roedd Marian yn gwbod yn iawn pam.

Economi drachwantus y gwledydd cyfalafol a'u sefydliada barus fel Banc y Byd, y World Trade Organization, yr IMF a chwmnïa mawr rhyngwladol oedd yn llwgu plant a phobol a ffarmwrs heddiw. Roedda nhw'n llwgu'r tlawd ac yn pesgi'r cyfoethog. Llyncodd Marian lond ei 'sgyfaint o wynt a'i ddal am hir cyn ei ollwng allan yn ara deg bach.

"Be nesa...?!" ysgydwodd ei phen mewn anobaith cyn mynd ati i agor yr amlen ola' oedd yn 'i llaw.

Ac yna, llifodd y gwaed i gyd i'w thraed a gwelwodd. Nid Malcym oedd â'i fryd ar siwio Ifor wedi'r cwbwl ond y dyn Trading Standards. Y dyn hwnnw fagiodd yn ôl a disgyn dros 'i ben a'i glustia i mewn i'r cafn dipio yng Nghorsydd Mawr dair mlynadd ar ddeg yn ôl.

"Where there's blame there's a claim...!"

Y Diwedd

Am y tro cynta yn ei fywyd roedd Ifor wedi gorffan 'i waith ac yn barod i ddiffod ei gompiwtar am byth. Digon oedd digon ac roedd o wedi ca'l mwy na digon.

Doedd hi ddim yn ganol bora eto ond roedd o wedi bod wrthi ers cyn brecwast yn tagio clustia saith llo bach a dim ond newydd orffan y gwaith papur yn barod i'w bostio i Workington, Cumbria roedd o, a hynny cyn i'r pedwar dwrnod ar ddeg holl bwysig ddod i ben.

"Gorffennwyd," ochneidiodd gyda rhyddhad ar ôl llyfu'r stamp a'i wasgu ar yr amlen drosodd a throsodd hefo'i ddwrn.

Yna cyn gada'l y tŷ cydiodd mewn papur a phensal a llusgo'i goes ar 'i ôl ar draws y buarth ac i fyny i lofft yr ŷd. Roedd o wedi ceisio cofleidio Marian cyn mynd ond ddaru hi ddim byd ond bagio'n ôl a sgrechian a deud wrtho am gadw draw rhag ofn iddo boetsio'i ffedog lân hi, cyn i rywun o'r Twrist Bôrd gyrradd.

Oedd, roedd Marian wedi penderfynu arallgyfeirio. Ond be oedd arallgyfeirio? Ai dull o grafu incwm bychan ychwanegol i ddiwydiant oedd yn ca'l 'i wasgu'n fwriadol oedd o neu esgus arall i gyflogi mwy fyth o fiwrocratiaid? Ta waeth, ar ôl blynyddoedd o rannu te a bara brith a sgons a sbynj i bawb a alwai yng Nghorsydd Mawr roedd Marian wedi penderfynu arallgyfeirio a cha'l ei thalu am neud rwbath yr oedd hi wedi bod yn 'i neud yn rhad ac am ddim erioed.

Ond os oedd Ifor wedi gorffan bob dim, dim ond awr arall oedd gan Marian i orffan ca'l trefn ar 'i thŷ cyn i rywun o'r Twrist Bôrd gyrradd i roi sêl ei fendith ar lanweithdra'r gegin a'r tŷ bach neu i weld beia'n bob man a thaflu dŵr oer ar ei gobeithion i gyd. Ond fyddai o byth yn gneud hynny siawns, dim ar ôl i Marian gysylltu a phob menter a meidrolyn, pob bwrdd a biwrocrat, pob asiantaeth ac asyn a oedd â chyngor sut i'w rhoi hi a'i busnas ar ben y ffordd? Roedd hi wedi gweithio a gwario ac wedi codi 'i chegin o'r newydd, fwy neu lai. Roedd hi wedi rhoi topia stainless steel yn y gegin a'r pantri ac wedi teilsio'r tŷ bach o'r llawr i'r to ac wedi rhoi air freshner ym mhob twll a chongol. Ond er hyn i gyd roedd dyfodol mentar y 'Te Bach' yn dal i ddibynnu ar ymweliad rhywun o'r Twrist Bôrd a fyddai yno 'mhen llai nag awr.

Wrth gwrs, mi fasa wedi bod dipyn yn haws iddi ennill 'i cheiniog tasa 'run biwrocrat wedi dod ar ei chyfyl o gwbwl. Fasa hi ddim wedi gorfod chwalu hannar ei thŷ i'r llawr i ddechra arni, na gwastraffu oria'n gwrando arnyn nhw'n deud wrthi sut i wario'i harian prin. Ond doedd ganddi hi ddim dewis rwan, byddai'n **rhaid** iddi godi pris ei the a'i chacenna cyn dechra!

A dyna ryfadd meddyliodd Marian nad oedd **un**, o'r holl fiwrocratiaid a ddaeth yno i'w chynghori hi, wedi dangos unrhyw awydd na bwriad o gwbwl, i sefydlu ei fusnas ei hun....! Ond wedyn, oedd hi'n synnu mewn gwirionadd a phob un wedi ca'l ei gyflog mor ddiboen. Doedd hi'i hun wedi ca'l 'run geiniog eto!

Sychodd Marian uneda'r gegin am y canfad tro ers amsar brecwast er nad oedd yr un llychyn ar eu cyfyl. Ond roedd ei dyfodol yn dibynnu'n llwyr ar lwyddiant yr ymweliad. Felly sychodd nhw unwaith eto cyn mynd i ga'l golwg ar y tŷ bach. A dyna pryd y clywodd sŵn car yn cyrradd yr iard. Cribodd ei gwallt, sythodd ei dillad ac aeth allan i gyfarfod y Dyn o'r Twrist Bôrd. Roedd o'n gynnar, dri chwartar awr yn gynnar, a deud y gwir.

"O helo! How ar iw?" gofynnodd Marian i'r ddau ddyn a safai yn y drws. Doedd hi ddim wedi disgwyl **dau** a theimlodd 'i hun yn bagio'n ôl...

"We're from the RSPB," meddai'r un hefo sbenglas mawr.

"'Da ni o'r RSPB," meddai'r llall hefo sbenglas bach.

Be oedda nhw isio? Panad?

"Rhywun wedi rhoi gwybod i ni fod 'na Hebog Glas yn y cyffinia," meddai'r Bach.

"Reintroduced him into the wild but he's lost his bearings," eglurodd y Mawr.

Swnio'n debyg iawn i Ramblar...! meddyliodd Marian.

"Rhywun wedi ei weld o yn eich cors chi. Tonnan Fawr. A meddwl oedda ni fasa ni'n cael eich caniatâd chi i fynd i chwilio amdano fo."

"O, cewch ma'n siŵr," meddai Marian, "Er mi fasa'n well i chi ga'l gair hefo'r gŵr, lle bynnag mae o..."

"O, wnawn ni ddim styrbio dim byd," addawodd y Sbenglas Bach.

"O, wel 'na chi 'ta," meddai Marian.

"Diolch yn fawr. Thenciw!" meddai'r ddau ac i ffwrdd a nhw ar draws yr iard a thrwy'r giât ac i gyfeiriad y gors.

Diflannodd Marian yn ei hôl i'r tŷ ac i'r lle chwech i agor yr air ffreshner cyn ei melltenu hi i sythu'r calendr a'r llian sychu llestri yn y gegin.

Yn llofft yr ŷd roedd Ifor yn ista ar jar oel wedi 'i throi â'i phen i lawr, yn syllu'n ei unfan ac yn hymian cân Dafydd Iwan:

"Gad' fi'n llonydd o fy Nuw gad' mi fod..."

O'i flaen roedd tudalen wen, wag ond doedd ganddo ddim syniad sut i ddechra'i llenwi hi. Roedd o newydd ga'l llythyr swyddogol gan y Ministri y bora hwnnw, yn dadansoddi'n fanwl sut yr oedda nhw'n mynd i'w gosbi'n ariannol am iddo anghofio rhoi tic yn rwla a chroes yn rwla arall. Cafodd lythyr gan y Cyngor Sir hefyd. Llythyr yn ei siwio am filoedd o bunnoedd! Y newyddion da oedd fod y dyn Trading Standards hwnnw geisiodd siwio Ifor am filoedd, rai misoedd ynghynt, wedi methu. Ond y newyddion drwg oedd fod hwnnw erbyn hyn wedi penderfynu siwio'r Cyngor Sir a'r Cyngor Sir wedi penderfynu siwio Ifor! Nagoedd, doedd bywyd ddim gwerth 'i fyw. Doedd o'm gwerth rhech dafad! A dyna pam erbyn hyn, yr oedd Ifor yn gwbwl grediniol y byddai ei fywyd yn llawar hapusach heb fref 'run biwrocrat na 'run geiniog o gymorthdal.

Ond doedd petha ddim mor hawdd. Dim ganddo fo'r oedd y dewis. Roedd o'n gaeth. Roedd o wedi'i ddal yng nghledar llaw'r gyfundrefn a'r llaw honno'n cau amdano'n dynnach ac yn dynnach ac yn ei wasgu'n ddidrugaredd, yn ei wasgu o fodolaeth. Roedd o mewn cyfyng-gyngor, mewn caethgyfla ond yn fwy na dim roedd o wedi blino, blino, blino, blino ar bawb a phob dim. Roedd o wedi syrffedu, laru, colli plesar ac roedd o'n unig. Doedd ganddo neb i droi ato. Neb a allai'i ollwng o'i gaethiwed. At bwy oedd o'n fod i droi? Doedd o ddim yn un i weddïo. Dyn pridd oedd o, dim dyn padar. A llafur a chwys, dim gobaith, oedd yn rhoi bwyd ym molia pobol. A ddaru 'run weddi 'rioed ei dynnu o gyfyngdar na llwyddo i fwydo'r newynog, waeth pa mor daer y gweddïodd.

Ond at bwy roedd o'n mynd i gyfeirio'i lythyr? Doedd o ddim haws â'i gyfeirio at Marian na'r plant. Roedda nhw'n dallt yn iawn ac wedi laru gwrando arno'n cwyno am yr un un hen betha o hyd ac o hyd. Felly at bwy roedd o'n mynd i sgwennu? Roedd yn rhaid iddo gyfeirio'r llythyr at rywun achos roedd bai ar **rywun** roedd o'n siŵr o hynny. Ond pwy oedd yr unigolyn? Pwy oedd o'n mynd i'w feio? At bwy roedd o'n mynd i 'nelu'r gwn?

Ac yna dechreuodd sgrifennu:

"Annwyl Archfarchnadoedd." Oedodd. Neu "Annwyl Gwmnïau Fferyllol...?" Neu "Annwyl Lywodraeth," neu "Annwyl America," neu "Annwyl Fanc y Byd? Annwyl IMF...? Annwyl World Trade Organisation, Annwyl gwmnïau rhyngwladol, Annwyl gyfalafwyr, Annwyl...?"

Dechreuodd sgrifennu:

"Annwyl Rywun,

Ma' hi ar ben. Alla i ddim gweld goleuni yn unlla. Alla i ddim troi at neb achos does 'na neb isio gwbod. Ma' bolia pawb yn rhy llawn a does 'na neb yn cofio be ydi llwgfa. Rhaid i ffarmwrs addasu medda nhw. Ond 'da ni 'di gneud dim byd ond addasu ar hyd y blynyddoedd neu fasa ni ddim yn dal yma. 'Da ni 'di ffarmio'n union fel ma'r Llywodraeth, ADAS a'r MLC wedi deud wrtha ni am ffarmio: CYNHYRCHWCH FWY O FWYD! CODWCH SIEDIA MAWR A GWNEWCH SILWAIR YN LLE GWAIR ER MWYN I CHI FEDRU CADW MWY O ANIFEILIAID! A phan ddudo nhw fod gwraig y tŷ ddim isio gymaint o saim ar y cig mi ddudo nhw wrtha ni am gadw gwartheg a defaid cyfandirol. A wedyn mi ddudo nhw wrtha ni am gadw lot mwy o ddefaid oherwydd bod y farchnad i gig oen ar y cyfandir yn ddihysbydd, medda nhw. A rwan, ma' nhw'n deud ein bod ni'n cadw **gormod** o ddefaid er nad yda ni'n hunangynhaliol mewn **cig oen**!

FFARMIWCH FEL MA' NHW'N FFARMIO YN SELAND NEWYDD. Dyna ydi'r dôn gron rwan. Ond hyd yn oed tasa tywydd Seland Newydd yn dod yr holl ffordd i fa'ma a finna'n ffarmio holl diroedd Llŷn ac Eifionydd fel un ffarm fawr, a phob biwrocrat yn diflannu dros nos, faswn i **byth** yn cael rhwydd hynt i ffarmio hefo cyllall a gwn fel ma' nhw'n fan'no.

A wedyn ma' nhw'n deud wrtha ni fod yn rhaid i ni helpu'n hunain a bod yn fwy o bobol busnas. Ac eto pan 'da ni'n prynu llonga i gario'n hanifeiliaid dramor a llwyddo i ga'l marchnadoedd dirifedi ar y cyfandir ma' nhw'n gweiddi: "CREULONDEB I ANIFEILIAID! a CHEWCH CHI'M GWNEUD HYNNA! A wedyn ma nhw'n berwi mai cwmnïa cydweithredol mawr sydd 'i angan arno ni. Ond fe ddarnio nhw 'Milk Marque' am 'i fod o'n rhy llwyddiannus ac yn rhoi pris rhy deg i'r ffarmwr llaeth! A wedyn ma' biwrocratiaid yn mynnu mai twyllo'n fwriadol ma' ffermwyr bob tro ma' nhw'n gneud camgymeriad wrth lenwi ffurflenni. Ond bob tro ma'r Trogod yn gneud camgymeriada, gwalla damweiniol ydi rheiny i gyd a dydyn nhw byth yn ca'l eu cosbi na'u colledu."

Trodd Ifor y papur drosodd a dechra sgwennu'n wyllt ar yr ochr arall…

Roedd Marian, bob yn ail â sythu 'i dillad ac edrych arni'i hun yn y drych, yn melltenu i neud rwbath yr oedd hi newydd gofio'n sydyn iddi anghofio'i neud. A newydd ddod yn ôl i'r gegin roedd hi i sythu'r cloc pan welodd ddarn o adan gwybedyn ar y llawr dan ei throed. Cydiodd ynddo'n ofalus hefo'i bys a'i bawd a mynd ag o allan trwy'r drws i'w daflu pan glywodd sŵn rwbath yn y buarth. Awyren? Naci. Be oedd o 'ta? Car? Car! Roedd y Twrist Bôrd wedi cyrradd. Rhedodd yn ôl i'r tŷ a thrwadd i'r ffrynt a swatio yno â'i gwynt yn 'i dwrn a'i chalon yn colbio'n 'i phen... nes canodd cloch y drws! Neidiodd. Sythodd ei ffedog lân, newydd sbon ac aeth at y drws a gwên wedi'i phobi'n barod ar 'i hwynab.

"Hel-o!" cyfarchodd Marian y dyn trwsiadus yr olwg oedd yn sefyll â'i gefn tuag ati.

Ond pan drodd hwnnw i'w hwynebu:

"Dwfnod neis Musus Huws!" meddai a'i wên mor llydan â'i friefcase.

"Malcym...?!" bagiodd yn ôl mewn syndod.

A chyn iddi ga'l cyfla i'w wa'dd i mewn roedd Malcym yn sefyll yno yn llawn pwysigrwydd ar lawr y gegin a'i friefcase ar ganol y bwrdd:

"Ew, dyma welliant Musus Huws! Dyma be ydi impfwfment!" meddai wrth ei sgwario hi rownd y gegin.

"'Da chi wedi newid ych job?" gofynnodd Marian yn syn, jyst rhag ofn mai wedi dod yno i weld clustia rhyw wartheg roedd o.

"O, ydw. Dwi'n Inspectof Tai a Busnes i'f Twfist Bofd fwan," meddai.

"O, 'da chi'n well felly?"

"O, ydw llawaf gwell, Musus Huws, diolch yn fawf. Dydi'f job yma ddim mof dfwm af cefn fi a dydw i dim yn gofod gneud gymaint o waith compiwtaf. Ac ylwch, dwi 'di ca'l bfiefcase gin chwaef i mam Holly. Un cfoen mochyn o South Amefica."

Go brin y basa fo o'r wlad yma'n 'de, meddai Marian wrthi 'i hun. Ma' gormod o reola hurt wedi gneud yn saff o hynny...!

"O, wel mi ddechfeua i inspectio felly 'ta...," meddai Malcym gan dynnu pentwr o ffurflenni allan o fol y mochyn a dechra gofyn cwestiyna. "Pfyd yda chi'n meddwl agof y busnas, Musus Huws?"

"Gyntad ag y galla i, i mi ga'l dechra clirio'r lloga," meddai Marian.

"Feit 'ta. Lle ma'f toilet?"

"O, syth ymlaen ac i'r dde," meddai Marian gan arwain y ffordd.

"O, diolch yn fawf. Fydda i ddim munud," meddai Malcym a chaeodd y drws yn glep yn ei hwynab.

Yn llofft yr ŷd roedd Ifor yn dal i hymian "Gad' fi'n llonydd o fy Nuw gad' 'mi fod...," a neb ond llgodan fawr yn gwrando arno a blewiach ei bocha'n bysnesu yng ngheg y twll. Plygodd Ifor 'i ben a dechreuodd sgwennu eto:

"Prindar bwyd. Llwgfa. Dyna ydi'r unig beth ddaw a phobol at eu coed bellach, ma'n siŵr... A dim ond pan fydd 'na brindar bwyd a newyn y daw'r Llywodraeth 'ma i weld gwerth mewn ffarmwrs fel fi eto. Tridia o silffoedd bwyd gwag yn yr archfarchnadoedd, dim ond tridia ac mi fasa pawb yn cipio a llarpio'n anifeilaidd ar draws 'i gilydd a neb hefo'r amsar i foesoli am hela na hawlia anifeiliaid na dim. A be tybad fasa'r ymatab tasa ffarmwrs llaeth yn dechra protestio a thywallt eu llaeth ar y caea? Mi fasa 'na hen weiddi wedyn yn basa, a neb yn fwy croch nag arweinwyr yr undeba, cynhalwyr y status quo:

"Peidiwch â phechu'n erbyn y cwsmeriaid neu mi lanwan eu basgedi hefo bwydydd rhad o dramor ac mi fydd hi'n amen arno chi ffarmwrs wedyn, a fydd gynno ninna ddim job i fynd iddi."

"Job i fynd iddi...?"

Cododd Ifor 'i ben a'i bensal. Falla mai dyna oedd o'i angan? Job fiwrocrataidd? Job o naw tan bump, cyflog a phensiwn a gwylia…? Falla mai cenfigen oedd y cwbwl i gyd. Ffarmwr yn cenfigennu wrth fiwrocrat! Y dyn oedd yn bustachu byw yn genfigennus o'r dyn oedd yn ca'l treulio'i ddwrnod gwaith yn deud wrth rywun arall be i neud heb orfod 'i neud o'i hun…? Roedd swydd o'r fath yn siŵr o apelio!

Ailgydiodd Ifor yn y sgwennu a diflannodd y llgodan fawr yn ôl i'w thwll.

Yn y gegin roedd Malcym wedi rhoi'i ben ym mhob cwpwrdd a'i drwyn ym mhob cwpan ac roedd o wedi arogli pob congol o'r gegin a'r tŷ bach. Ond roedd 'na un peth.

"Ma 'na **un peth**, Musus Huws," meddai Malcym yn bwysig.

"Ma 'na wastad "**un peth**" neu "**ond**" i ga'l gan fiwrocrat…," meddyliodd Marian.

"'Sgynno chi ddim postaf af y wal wfth ymyl y diffoddwf tân yn deud sut ma'i iwshio fo," meddai Malcym.

"O, do'n i'm yn gwbod fod angan un," meddai Marian.

"Oes, Musus Huws. Hollol angenfheidiol," pwysleisiodd Malcym cyn ychwanegu'n awdurdodol: "Fedfa i'ch **ffelio** chi am hynna, 'chi."

Daliodd Marian 'i gwynt.

"Ond 'na i ddim, af un amod, ych bod chi'n gaddo fhoi un i fyny af y wal cyn dechfa'f busnas."

"O, g'naf siŵr, g'naf, g'naf! " meddai Marian â'i phen a'i dwylo'n neidio i fyny ac i lawr yn frwd.

"'Da chi'n addo?"

"Ydw, ydw, ydw!" nodiodd Marian yn daer nes roedd 'i phen bron â disgyn i ffwrdd.

"Of gofa, Musus Huws, neith fi pasio chi tfo yma, 'ta."

"O diolch, diolch, diolch yn fawr iawn, iawn i chi, Malcym.

Diolch yn fawr," gwirionodd Marian gan dynnu'i ffedog yn bob siâp. Gymrwch chi banad o de?" gofynnodd.

"O, diolch yn fawf," meddai Malcym ar ôl edrach ar 'i watsh yn bwysig.

A thra roedd Marian wrthi'n gneud y banad ac yn torri tafall hael o fara brith iddo, gofynnodd Malcym:

"Ydy Mustyf Huws yn dŵad am banad?"

"Bobol annw'l nadi, sgin Ifor ddim amsar!" wfftiodd Marian.

"O. Ydi o'n well 'ta?" gofynnodd Malcym.

"Well? Wel, ydi a na'di. Mae o'n disgwl i ga'l mynd i'r sbyty i neud 'i ben-glin. Ond ma'na restr aros o flwyddyn."

"O. O wel, neith y fest fyd o les iddo fo felly'n gneith," meddai Malcym cyn cymryd cegiad arall o de.

"Rest?" gwichiodd Marian. "Pa rest?"

"Wel, fuos i af insiwfans am fisoedd pan o'ni'n sâl," eglurodd.

"Ond fedar Ifor ddim fforddio i fod ar insiwrans," meddai Marian. "Gweithio iddo fo'i hun mae o ac os nad ydi o'n gweithio dydi'r gwaith ddim yn ca'l 'i neud."

"Lle ma'f plant fwan? Dwi'm 'di gweld nhw efs tfo byd! Sgynnyn nhw ddiddofdab mewn ffafmio?"

"Wel, ma gynnyn nhw i gyd ddiddordab am wn i, ond yn anffodus ma'n rhaid i bawb ga'l pres i fyw, i dalu bilia a ballu'n bydd, Malcym?"

"Wfth gwfs," cytunodd Malcym wrth sipian 'i de.

Ond mi fasa ni i gyd yn gallu byw yn braf ar ffarmio tasa 'na ddim hannar gymaint yn byw arno ni..., myfyriodd Marian.

"Ydi Fobin am ddŵad adfa i ffafmio?"

"'Da ni wedi trio'i annog o i fynd i neud rwbath lle ceith o gyflog a gwylia a gwell bywyd na ni. Ma' gweithio i rywun arall dipyn haws na gweithio i chi'ch hun tydi. A dyna pam ma' Robin yn coleg yn gneud rhyw gwrs compiwtars ac yn gweithio mewn pyb ar benwythnosa ac yn sdacio silffoedd Tesco bob nos yn ystod 'r wsos i drio talu am 'i goleg."

"A lle ma' Nia a Bethan? Dwi'm 'di gweld nhw efs tfo byd."

"Nia newydd orffan 'i lefel 'A' a Bethan newydd orffan ei THGAU a ma' nhwtha'n gweithio'n y 'Lion' i hel pres i dalu am eu coleg."

"Mistyf Huws yn bfysuf heddiw ma'n fhaid. Dwi'm 'di weld o o gwbwl."

Na finna chwaith, meddyliodd Marian gan gofio amdano'n trio'i chofleidio a hitha'n ei wrthod. Aeth yn groen gwydd drosti. Oedd rwbath wedi dod drosto fo...?

"O, dacw fo af y gaif!" meddai Malcym toc gan sefyll ar 'i draed a rhoi'i drwyn ar y ffenast. A ma 'na fywun hefo fo."

"Lle?" gofynnodd Marian.

Yn dŵad i fyny'f lôn gofs."

"O naci, dim Ifor ydi hwnna. Rhyw ddyn adar wedi dŵad i chwilio am Hebog Glas ydi hwnna," meddai Marian. "Ma 'na ddau ohonyn nhw."

"Dau Hebog Glas?!" rhyfeddodd Malcym.

"Naci, dau ddyn adar."

Yn llofft yr ŷd roedd Ifor newydd roi atalnod llawn ar frawddeg ola' un 'i lythyr:

"Ond am mai ffarmwr ydw i ac am mai ffarmwr ydw i isio bod, 'sgin i ddim dewis."

Yna yn ara deg cydiodd yn 'i wn a'i agor i neud yn siŵr 'i fod o'n llawn cyn 'i gau drachefn ac aros yn berffaith llonydd gan hymian yn dawel, dawel:

"Gad' fi'n llonydd o fy Nuw gad' mi fod..."

A gwthiodd y llgodan fawr 'i thrwyn allan trwy'r twll yn y wal.

"Wel, cofiwch fi at bawb, Musus Huws a phob lwc i chi hefo'f te bach. A mi dfia i ngofa i **bfosesu** hwn i chi ben bofa dydd Llun," meddai Malcym gan fagio at giât y cowt.

"O, mi faswn i'n ddiolchgar iawn i chi Malcym," meddai Marian yn siriol.

Ond yr eiliad honno holltwyd yr iard gan ergyd gwn!

"Afgol fawf! Be oedd hwnna?!" gofynnodd Malcym gan lyncu'i boeri.

"Ifor...?!" galwodd Marian yn dawel dan 'i gwynt a'i llgada'n 'gorad fel dau leuad llawn.

Rhuthrodd y ddau ddyn adar ar 'u penna i'r iard mewn dychryn.

"What the hell was that?" gofynnodd y Sbenglas Mawr.

"Rhywun yn saethu! Welsoch chi rywun hefo gwn?!" gofynnodd y Sbenglas Bach mewn dychryn.

"Ifor?! IFOOOOOOOOR!" sgrechiodd Marian. "MAE IFOR WEDI SAETHU 'I HUN!"

"O, diolch byth!" ochneidiodd y Sbenglas Bach. "O'ni'n meddwl 'i fod o wedi saethu'r Hebog Glas...!"

Ond pan gyrhaeddodd Marian risia llofft yr ŷd roedd Ifor wrthi'n hencian i lawr i'w chyfarfod, ei wn yn un llaw a llgodan fawr gerfydd 'i chynffon yn y llall.

"Ifor? Ifor, wti'n iawn?!" gofynnodd Marian.

"Ydw," atebodd yn swta gan gerddad at y dynion adar, troi'i gefn, codi'i goes a gwasgu rhech fain, wichlyd, hir cyn hencian yn 'i flaen i ffarmio.